Christine Andant, Annabelle Nachon

À TABLE !

À la découverte du repas gastronomique des Français

LA COLLECTION CIVILISATION-CULTURES EST DIRIGÉE PAR ISABELLE GRUCA

La France au quotidien, 5e édition, R. Rœsch et R. Rolle-Harold, 2020
Comment va la vie ? À la découverte de la France au fil des générations, Jean-Marie Frisa, Daniel Mathey, 2018
La République française : le citoyen et les institutions, Nicolas Kada, Patrice Terrone, 2017 (données actualisées en 2020)
À table ! À la découverte du repas gastronomique des Français, Christine Andant, Annabelle Nachon, 2016
Bulles de France, G. Jeffroy et Unter, 2013

Pour les autres collections, consultez le catalogue sur notre site internet **www.pug.fr**

Le site internet de l'ouvrage est accessible à l'adresse **atable-lerepasfrancais.jimdo.com** ou en flashant le QR code ci-dessous.

Achevé d'imprimer en février 2022
sur les presses de CPI Bussière
ZI rue Pelletier Doisy – BP 79 – 18203 Saint-Amand-Montrond Cedex
Dépôt légal : décembre 2016 – N° d'impression : 2063377
Imprimé en France

Conception graphique et mise en page : Corinne Tourrasse
Coordination éditoriale : Ségolène Marbach

15, rue de l'Abbé-Vincent – 38600 Fontaine
www.pug.fr

ISBN 978-2-7061-2509-6

SOMMAIRE

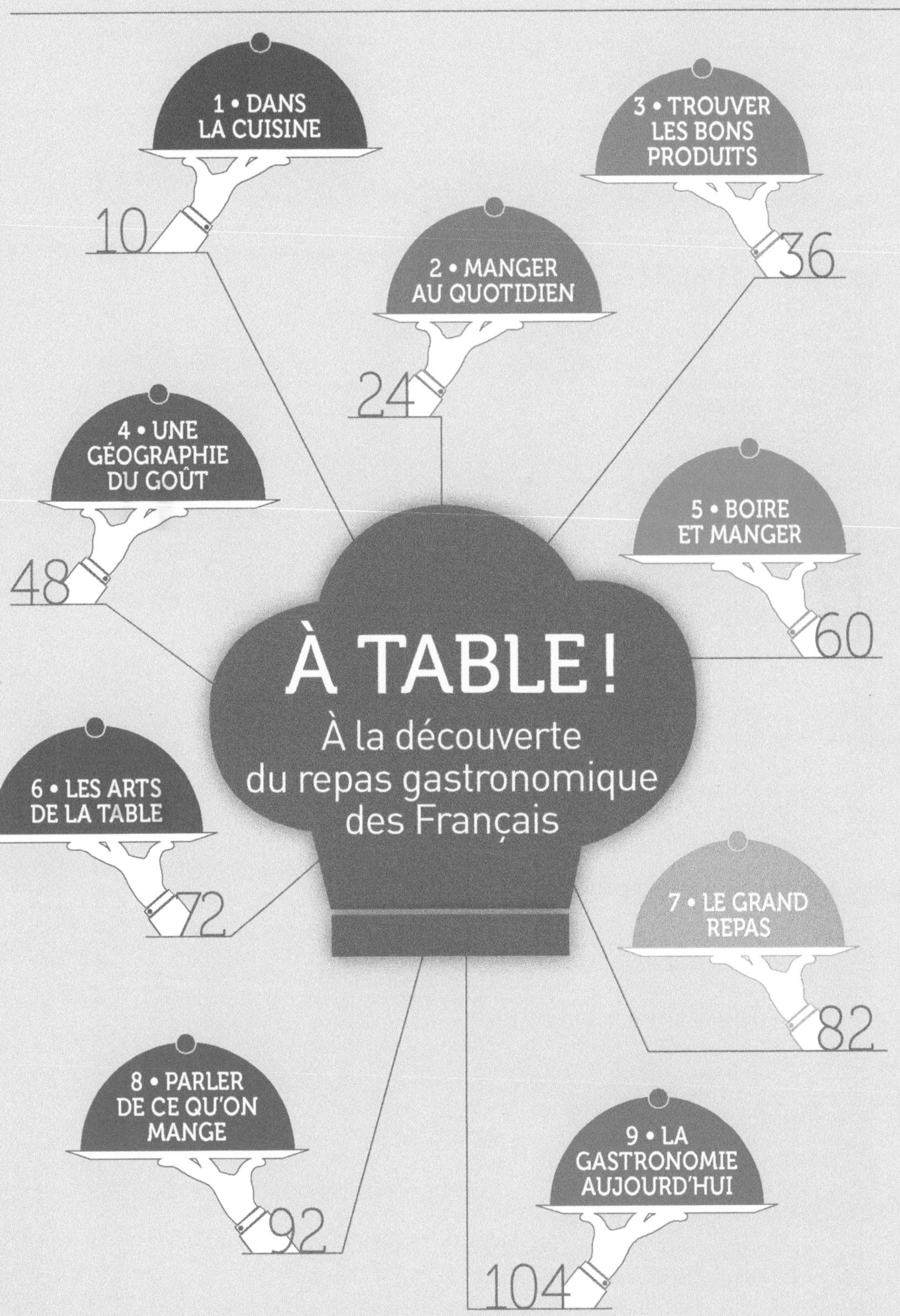

À TABLE !
À la découverte
du repas gastronomique
des Français

AVANT-PROPOS

CE LIVRE S'ADRESSE À TOUS LES GOURMANDS, à ceux qui aiment cuisiner, ceux qui aiment manger et à tous les curieux de l'art de vivre à la française. Tous les contenus sont articulés autour du repas gastronomique des Français.

Il peut être utilisé, à partir du niveau A2 du CECR, par des grands adolescents et adultes :
- en classe de langue (en complément d'une méthode ou d'un livre de grammaire),
- en atelier pratique de cuisine,
- en cours de civilisation,
- en autonomie,

pour développer une compétence culturelle et acquérir un lexique et un savoir-faire relatifs à la gastronomie.

Il se compose de neuf chapitres proposant des informations et des activités, à la fois culturelles et linguistiques, mettant en jeu les cinq compétences de communication.
L'ordre des chapitres est une proposition, mais chacun est libre de construire sa progression différemment, en fonction de son niveau, de ses objectifs, de ses besoins, de ses envies et de ses contraintes.
Le contenu de chaque chapitre est organisé sous forme de rubriques récurrentes indépendantes, également utilisables dans l'ordre de votre choix.

Ce livre est accompagné d'un site internet où sont répertoriés des liens vers des documents complémentaires (audio, vidéo, textes, etc.) pour enrichir chaque chapitre.

Des corrigés et transcriptions en fin d'ouvrage favorisent l'autonomie de l'apprenant.

Le site internet de l'ouvrage est accessible à l'adresse **atable-lerepasfrancais.jimdo.com** ou en flashant le QR code ci-dessus.

LES RUBRIQUES

Découvrir
Des textes et des documents informatifs (infographies, sondages, extraits littéraires etc.) abondamment illustrés, généralement répartis sur une double page qui constitue une unité.

La recette
Une recette intégrale, emblématique de la cuisine française, traditionnelle ou moderne, accompagnée d'éléments linguistiques pour comprendre la recette, et de trucs et astuces de cuisinier pour ceux qui souhaitent passer derrière les fourneaux.

Le produit
Un produit du terroir, sous toutes ses coutures : son mode de production, la manière de le choisir, de le conserver, etc., et des idées simples pour le cuisiner.

Le portrait
Une rencontre avec un professionnel des métiers de bouche : un éleveur, un boulanger, un vigneron, un primeur, un cuisinier, etc.

Comment dire ?
Des activités visant à comprendre et s'approprier des contenus linguistiques liés au thème du chapitre.

Faisons le point
Un document authentique culturel, des questions sur le contenu du chapitre et des interactions ludiques.

AU FIL DES PAGES, VOUS TROUVEREZ DANS CHAQUE CHAPITRE :

DES ENCARTS

- **Langue :** des précisions de syntaxe et d'orthographe.
- **Expressions :** des expressions idiomatiques expliquées.
- **Le saviez-vous ? :** des informations insolites.

Citations : des extraits de différents types de texte.

DES ACTIVITÉS

- **Qu'en dites-vous ? :** des questions favorisant des interactions orales interculturelles.
- **Écriture créative :** des propositions de productions écrites guidées.

DES LIENS VERS LE SITE INTERNET

- **Des documents audio** accompagnés de leur transcription.
- **Des liens** vers une chanson, un reportage, une vidéo, un jeu, etc., lié au thème du chapitre.

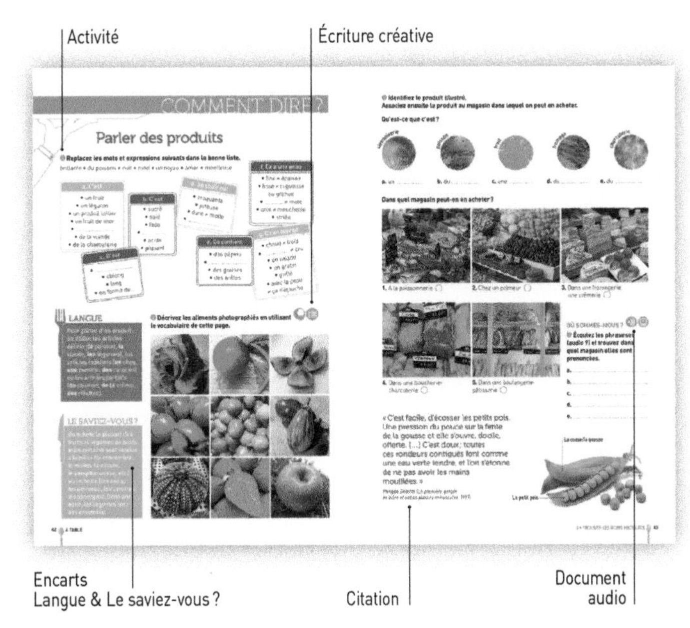

Nous vous invitons à parcourir ces pages comme vous feriez votre marché : flânant dans les allées et vous attardant devant l'étal qui vous fait envie. N'hésitez pas à utiliser ce livre pour composer un menu à la carte selon vos besoins, sur le modèle des parcours que nous vous proposons en page suivante.

Et maintenant... à table !

Un menu à la carte !

CE LIVRE EST CONÇU POUR ÊTRE UTILISÉ DANS DIFFÉRENTS CONTEXTES : en cours de langue, en cours de civilisation mais aussi dans le cadre d'ateliers de cuisine ou encore en auto-apprentissage.

Voici quelques idées de parcours, construits avec les contenus du chapitre 1. Ce sont des exemples de ce que vous pourrez faire avec cet ouvrage, outil au service de l'enseignant et de sa classe. Les activités peuvent être détournées (une activité orale se transforme en activité écrite ; un travail collectif en travail personnel, etc.), ignorées, simplifiées, enrichies au gré des besoins et des contraintes de chacun.

AUTO-APPRENTISSAGE

OBJECTIF : il peut être linguistique, culturel et/ou technique
NIVEAU : à partir de B1

L'utilisation du livre se rapproche ici de la lecture d'un magazine dans lequel on navigue à son propre rythme, au fil de ses envies, en s'attardant plus ou moins sur certains points. Les questions de « Qu'en dites-vous ? » pourront être utilisées dans le cadre de discussions entre amis (idéalement, lors de repas !) ou sur les réseaux sociaux.
La présence des corrigés des exercices et des transcriptions des enregistrements à la fin du livre permet cette autonomie et les liens Internet donnent l'occasion d'aller plus loin pour satisfaire sa curiosité.

COURS DE LANGUE

OBJECTIF : développer une compétence de communication
NIVEAU : à partir de A2
Un temps de préparation individuelle ou par binôme sera à prévoir avant les interactions en groupe-classe pour le niveau A2

DÉCOUVRIR
LA CUISINE AU CŒUR DE LA MAISON (PAGES 10-11)

1. Observer les photos : qu'est-ce qu'on y voit ?
2. Faire l'exercice 2 en groupe-classe.
3. Lire le texte (individuellement).
4. Faire l'exercice 1 en groupe-classe.
5. Utiliser les questions de « Qu'en dites-vous ? » pour des échanges collectifs à l'oral ou pour une production écrite individuelle, plus développée en B2.

→ **DURÉE : 1 h -1 h 30**

COMMENT DIRE ?
EN CUISINE (PAGES 16-17)

1. Observer les définitions et repérer les outils linguistiques utilisés pour répondre aux questions suivantes :
- Qu'est-ce que c'est ?
- À quoi ça sert ?
- Comment c'est fait ?
- En quoi ça consiste ?
2. Regarder et prononcer ensemble les mots de la page 17.
3. Faire l'exercice 1 en groupe classe.
4. Faire la première définition de l'exercice en groupe-classe, puis mettre les élèves par deux. Choisir des mots de l'exercice (ou des mots présents page 17), et en attribuer un à chaque binôme d'élèves, qui doit en préparer une définition écrite, puis la faire deviner, à l'oral, à la classe.
5. Lire le point langue. En tour de table, chacun donne un exemple en utilisant « je fais + infinitif » ou « je laisse + infinitif ».

→ **DURÉE : 1 h - 1 h 30**

CIVILISATION

OBJECTIF : compréhension d'un fait de société et mise en contraste interculturelle
NIVEAU : à partir de A2

DÉCOUVRIR

LE GRAND RETOUR DU « FAIT MAISON » [PAGES 12-13]

1. Expliquer le titre (en brainstorming) *Le grand retour du « fait maison ».*
2. Lire les questions de l'exercice 1 puis lire le texte.
3. Répondre (en groupe-classe) aux questions de l'exercice 1 et comparer avec les propositions du brainstorming.
4. Prendre connaissance des documents *Tous cuisiniers !* et *Quels plats sont faits maison ?*
5. Faire l'exercice 3 et regarder le catalogue en ligne.

→ **DURÉE : 1 h**

6. **Projet 1.** Par deux ou en groupe classe, préparer un exposé (poster, diaporama) reprenant les informations principales de la double page.
   Projet 2. Faire une enquête, auprès de son établissement ou de sa famille, avec les questions de l'exercice 2 et d'autres questions, comme « Quels plats faites-vous vous-même », « Quels appareils de petit électroménager possédez-vous ? »...

La collecte des réponses se fait par deux ou individuellement et la synthèse en groupe-classe à comparer avec la situation française.

→ **DURÉE : 2 h (dont du travail hors la classe)**

ATELIER CUISINE

OBJECTIF : l'apprentissage de techniques et de connaissances associées
NIVEAU : à partir du niveau A2

LA RECETTE

1. Interroger sur l'intitulé de la recette p. 20 : « La blanquette de veau selon Paul Bocuse ». (Qui est Paul Bocuse ? À votre avis, pourquoi dit-on une blanquette ? Connaissez-vous ce plat ? etc.)
2. Lire la liste des ingrédients de la recette. Quels légumes utilise-t-on ? Quelles herbes aromatiques ? etc. Les ingrédients de la recette et d'autres sont disposés sur la table, et les apprenants choisissent ceux qui seront nécessaires à la recette.
3. Lire la liste des ustensiles de la recette (se reporter à la page de lexique, p. 17, « Les ustensiles »). Identifier les ustensiles disposés sur la table.
4. Lire le point langue de la page 21.
5. Lire la recette.
6. Se reporter à la page de lexique, p. 17 : « Les actions » et trouver celles utiles à la recette.
7. Identifier ce qu'il faut faire avec chaque ingrédient de la recette (**ficeler** les branches de persil, **éplucher** l'oignon, **peler** les carottes etc.)
8. Lire les indications utiles « Pour comprendre la recette », p. 21.
9. Faire l'exercice 1 p. 21.
10. Réaliser la recette jusqu'à « Coupez le poireau en tronçons de 2 à 3 cm, en biseau ».
11. Lire l'encadré p. 21, sur les différentes manières dont les chefs réinterprètent la blanquette.
12. Finir de lire les « Trucs et astuces », p. 21.
13. Répondre à la question 2 p. 21
14. Terminer la recette.
15. Pendant les derniers temps de cuisson, faire les exercices 1 et 2 p. 16 et l'activité 1 p. 18, par exemple et/ou mimer les gestes de cuisine utilisés lors de la recette pour les faire deviner et nommer aux autres.

→ **DURÉE DE L'ATELIER : 3 h à 3 h 30 (selon la vitesse de dégustation des convives !)**

MISE EN BOUCHE

Parmi ces citations, laquelle préférez-vous ? Laquelle trouvez-vous juste ? fausse ? discutable ? amusante ? démodée ?

« C'est une histoire d'amour, la cuisine, il faut tomber amoureux des produits et puis des gens qui les font. »

Alain Ducasse (chef français, 1956-)

« La cuisine, ce n'est pas de la chimie. C'est un art qui requiert de l'instinct et du goût plutôt que des mesures exactes. »

Marcel Boulestin (chef français, 1878-1943)

« Les épices permettent de faire chanter et danser les cuisines du monde. »

Olivier Roellinger (chef français, 1955-)

« J'ai des souvenirs de bouchées à la reine, de vacherin glacé, d'omelette norvégienne, comme on a des souvenirs d'amour. »

Gilles Pudlowski (critique gastronomique français, 1950-)

« Il y a plus de noblesse dans un chou fraîchement cueilli que dans un homard surgelé. »

Guy Savoy (chef français, 1953-)

« Je ne comprends pas ceux qui se désintéressent des repas, ça les occupe tout de même deux fois par jour. Pour moi, c'est comme s'ils se désintéressaient de la vie. »

Claude Chabrol (réalisateur français, 1930-2010)

« Il faut des souvenirs pour faire des recettes et aussi l'inverse. »

Jacky Durand (chroniqueur culinaire français)

« Aimez le chocolat à fond, sans complexe ni fausse honte, car rappelez-vous : sans un grain de folie, il n'est point d'homme raisonnable. »

François de La Rochefoucauld (écrivain français, 1613-1680)

« La cuisine, c'est beaucoup plus que des recettes. »

Alain Chapel (chef français, 1937-1990)

« Il y a autant de recettes que d'histoires de famille. »

Jacky Durand (chroniqueur culinaire français)

« Prenez du chocolat afin que les plus méchantes compagnies vous paraissent bonnes. »

Madame de Sévigné (écrivaine française, 1626-1696)

« Est-il un plaisir plus savoureux que celui d'avoir à sa table deux amis gourmands et gais ? »

Sacha Guitry (dramaturge français, 1885-1957)

« Les seules ententes internationales possibles sont des ententes gastronomiques. »

Léon Daudet (écrivain français, 1867-1942)

« Tout est plus facile à dire dans une cuisine, tout y est nuancé par cette intention du partage, un appétit fait de la sève même des choses. »

Serge Joncour (écrivain français, 1961-)

« La bonne chère et le bon vin réjouissent le cœur du gastronome. »

Antonin Carême (pâtissier et chef français, 1784-1833)

« Il n'y a point de chagrin d'amour qu'un repas vraiment bon ne dissipe au moins pour quelque temps. »

Henry de Montherlant (écrivain français, 1895-1972)

« Les connaissances gastronomiques sont nécessaires à tous les hommes puisqu'elles tendent à augmenter la somme des plaisirs qui leur est destinée. »

Jean-Anthelme Brillat-Savarin (auteur culinaire français, 1755-1826)

« Quand vous nourrissez les gens ou que les gens vous nourrissent, vous acceptez d'avoir confiance en eux, et eux, en vous. Ça se vérifie sur toute la planète. »

Thierry Marx (chef français, 1962-)

« Le Créateur, en obligeant l'homme à manger pour vivre, l'y invite par l'appétit et l'en récompense par le plaisir. »

Jean-Anthelme Brillat-Savarin (auteur culinaire français, 1755-1826)

« On apprend la cuisine avec celle des autres. À un moment donné on fait la sienne. »

Jean-François Piège (chef français, 1970-)

« La cuisine d'un groupement humain est le reflet du ciel, de la terre, des eaux du pays où il est fixé. »

Édouard de Pomiane (scientifique français, 1875-1964)

« Le chemin du cœur passe par le ventre. »

Paul Bocuse (chef français, 1926-)

« La cuisine ne se mesure pas en termes de tradition ou de modernité. On doit y lire la tendresse du cuisinier. »

Pierre Gagnaire (chef français, 1950-)

« On fait notre métier pour délivrer et pour transmettre notre connaissance. Quelque chose qui m'est cher, c'est la transmission du savoir. »

Alain Ducasse (chef français, 1956-)

« J'aimerais que ma cuisine ait le goût du vent, parce que le vent vient toujours d'ailleurs. »

Olivier Roellinger (chef français, 1955-)

« Pas de restaurants. Moyens de se consoler : lire des livres de cuisine. »

Charles Baudelaire (poète français, 1821-1867)

« Un plat sans destinataire, c'est un plat qui n'existe pas. »

François Simon (critique gastronomique français, 1953-)

« Il y a plus de philosophie dans une bouteille de vin que dans tous les livres. »

Louis Pasteur (chimiste et biologiste français, 1822-1895)

« Pour bien cuisiner il faut de bons ingrédients, un palais, du cœur et des amis. »

Pierre Perret (auteur-compositeur-interprète français, 1934-)

« On naît gourmet. Le vrai gourmet est celui qui se délecte d'une tartine de beurre comme d'un homard grillé, si le beurre est fin et le pain bien pétri. »

Colette (écrivaine française, 1873-1954)

« Le bonheur c'est un bon compte en banque, une bonne cuisine et une bonne digestion. »

Jean-Jacques Rousseau (philosophe, 1712-1778)

« À table avec des amis, le temps ne compte plus. »

Paul Bocuse (chef français, 1926-)

« Apprendre à cuisiner, c'est d'abord se souvenir, on ne réinvente pas la cuisine, on la retrouve. »

Roger Vergé (chef français, 1930-2015)

« La cuisine est "multisensorielle". Elle s'adresse à l'œil, à la bouche, au nez, à l'oreille et à l'esprit… Aucun art ne possède cette complexité. »

Pierre Gagnaire (chef français, 1950-)

DÉCOUVRIR

La cuisine au cœur de la maison

LA CUISINE, UNE PIÈCE À VIVRE ?

A La cuisine est une pièce très importante dans le logement des Français et c'est probablement celle qui a le plus changé au cours du xxe siècle. Elle a suivi l'évolution des modes de vie et des technologies et on peut dire qu'aujourd'hui, c'est le véritable cœur de la maison. Autrefois, c'était la seule pièce chaude de la maison et elle est restée dans l'imaginaire la pièce de la chaleur.

B Bien sûr, c'est dans la cuisine qu'on prépare les repas, mais c'est aussi là qu'on fait mille choses : discuter, lire le journal, manger, recevoir ses amis, bricoler, regarder la télévision, pratiquer le télétravail, etc. Les enfants aussi fréquentent la cuisine : ils aiment y faire leurs devoirs, jouer ou encore pratiquer des loisirs créatifs. Bref, c'est un lieu de convivialité, une véritable pièce à vivre, au même titre que le salon.

1

2

C La disposition de la cuisine a aussi évolué au fil des années ; pendant longtemps pièce fermée et séparée des autres, elle s'est ouverte sur le salon ou la salle à manger pour permettre à la personne qui cuisine de ne pas être isolée et de pouvoir ainsi discuter avec les autres. On l'appelle « cuisine américaine » quand c'est une cuisine ouverte et « kitchenette » quand elle est petite, comme dans un studio par exemple.

D En devenant une pièce à vivre, cette cuisine nouvelle génération doit être non seulement fonctionnelle, mais aussi bien rangée et belle à regarder. Les Français consacrent du temps et de l'argent à la conception et la décoration de leur cuisine, car elle est en quelque sorte le reflet de leur personnalité !

> « Cette cuisine est un monde dont la cheminée est le soleil. »
>
> Victor Hugo (*Le Rhin, Lettres à un ami*, 1842)

1 Choisissez, dans la double page, la photo qui, selon vous, illustre le mieux chaque paragraphe du texte.

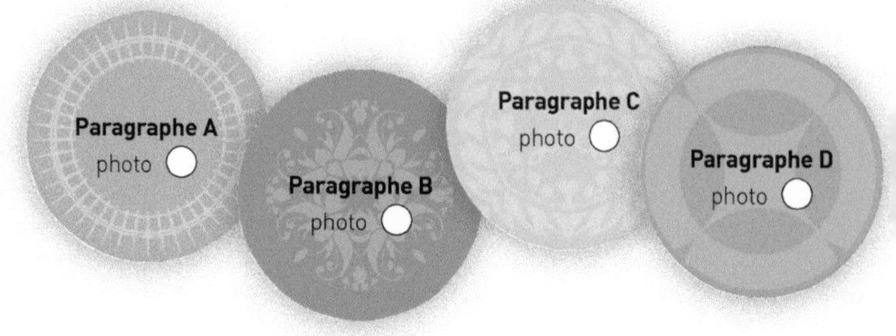

③

④

⑤

⑥

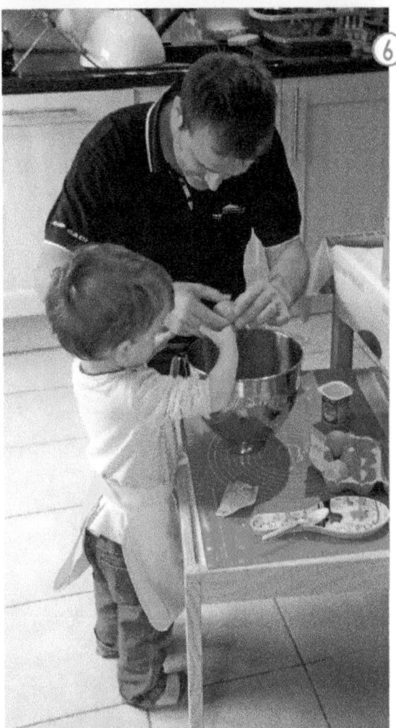

❷ Associez une légende à chaque photo.

a. La cuisine, lieu de transmission : photo ◯
b. La cuisine se fait belle : photo ◯
c. La cuisine, espace multi-activités : photo ◯
d. La cuisine a bien changé : photo ◯
e. La cuisine s'ouvre : photo ◯
f. La cuisine, ce n'est plus une affaire de femmes : photo ◯

❸ Qu'en dites-vous ? 

- À quoi ressemble votre cuisine ?
- À quoi ressemblerait votre cuisine idéale ?
- Quelles activités pratiquez-vous dans la cuisine ? Qu'est-ce qui fait de votre cuisine une pièce à vivre ?

Le grand retour du « fait maison »

LE GOÛT DE L'AUTHENTIQUE

Les Français redécouvrent le plaisir de cuisiner et les qualités des produits faits maison, comme le montre la multiplication des émissions de télévision, des magazines et des blogs consacrés à la cuisine.

Dans les magasins, on observe aussi une augmentation de la vente des appareils de petit électroménager (mixeurs, machines à pain, yaourtières...) et les ingrédients de base (farine, lait, œufs...) se vendent plus que les plats tout prêts. La fréquentation des restaurants a baissé, probablement à cause de la crise économique, et les Français ont retrouvé le plaisir de recevoir leurs amis à dîner chez eux.

Une étude, réalisée par la TNS Sofres* auprès de 1 000 consommateurs, indique que 94 % des personnes interrogées considèrent le « fait maison » comme une source de plaisir et d'épanouissement et 95 % comme un moyen de faire plaisir à ses invités. La première raison qui motive les Français à cuisiner est la maîtrise de l'alimentation : on prépare soi-même les plats pour être sûr de la qualité et de l'origine de ce qu'on mange. La deuxième motivation évoquée est le plaisir de cuisiner, la convivialité. La troisième raison est économique : ça coûte moins cher de cuisiner que d'acheter un plat tout prêt.

Ce retour du « fait maison » est-il un phénomène de mode ? Il semble que non, parce que 89 % des personnes interrogées déclarent vouloir continuer à mettre la main à la pâte. Les enfants eux aussi déclarent préférer le « fait maison » et le repas traditionnel.

*TNS Sofres est un institut de sondage.

❶ Lisez le texte et répondez aux questions.

a. À quoi oppose-t-on le « fait maison » ?
b. Quels phénomènes indiquent le retour du « fait maison » ?
c. Pour quelles raisons les Français pratiquent-ils le « fait maison » ?

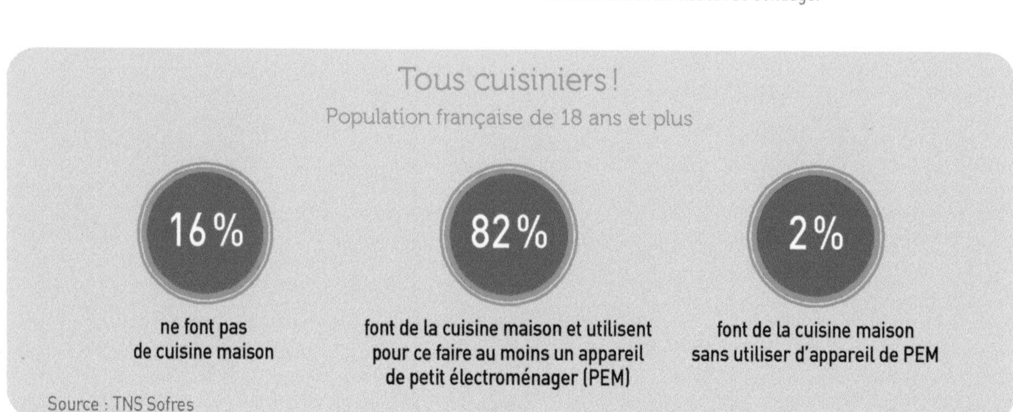

QUELS SONT LES PLATS FAITS MAISON ?

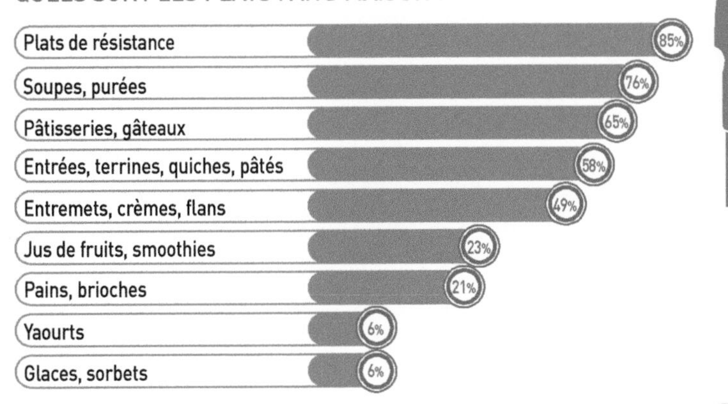

LE SAVIEZ-VOUS ?

Depuis mai 2015, il existe un label « fait maison » qui garantit que le plat a été cuisiné sur place à partir de produits bruts.

❷ Qu'en dites-vous ? 

- Est-ce que, comme la plupart des Français, vous consommez de la cuisine faite maison plutôt que des produits tout prêts ?
- Considérez-vous la cuisine comme une corvée ou un plaisir ?

EXPRESSIONS

« Mettre la main à la pâte » : apporter son aide, participer à une tâche.

UNE CUISINIÈRE BIEN ÉQUIPÉE ! 

❸ Écoutez le dialogue (audio 1) et entourez les deux appareils qui ne sont pas cités.

une yaourtière

un robot pâtissier

un batteur

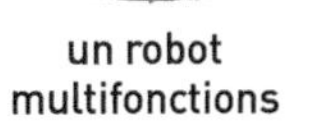

un robot multifonctions

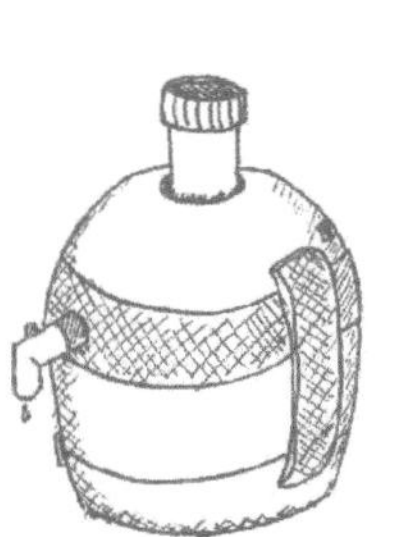

une centrifugeuse

un blender

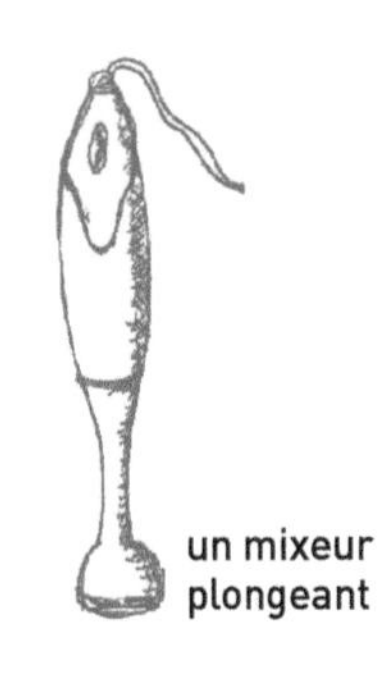

un mixeur plongeant

un cuiseur-vapeur

une sorbetière

ÉQUIPEZ VOTRE CUISINE ! 

Découvrez un catalogue de petit électroménager.

Souvenirs

LES TOMATES FARCIES DE RÉGINA

1 Écoutez le témoignage (audio 2) et racontez à votre tour un souvenir d'enfance lié la cuisine.

MÉMOIRES OLFACTIVE ET GUSTATIVE

Comme Marcel Proust qui, adulte, avait senti une part de son enfance se réveiller en croquant une petite madeleine, vos souvenirs à vous aussi prennent souvent des chemins détournés et étranges avant de remonter à la surface. Votre odorat et votre palais sont mis à contribution par votre mémoire. Un fumet, une saveur, une odeur peuvent tout d'un coup vous replonger des années en arrière et vous rappeler de façon confuse, mais très puissante, des moments que vous croyiez oubliés. C'est troublant et souvent déstabilisant parce que les souvenirs reviennent de façon intense, comme s'ils dataient d'hier. C'est une évocation à la fois sensuelle et subtile du passé.

Source : psychologies.com

LE SAVIEZ-VOUS ?

On parle d'une « madeleine de Proust » pour évoquer une petite chose (un objet, une odeur, un geste, un aliment, etc.) qui fait soudain revenir à la mémoire un souvenir très précis. Cette expression vient de l'œuvre de Marcel Proust, *Du coté de chez Swann*, le premier roman de la série *À la recherche du temps perdu*. Elle apparaît lorsque le narrateur revit un souvenir d'enfance en dégustant une madeleine.

LA MADELEINE DE PROUST

Elle (ma mère) envoya chercher un de ces gâteaux courts et dodus appelés Petites Madeleines qui semblent avoir été moulés dans la valve rainurée d'une coquille de Saint-Jacques. Et bientôt, machinalement, accablé par la morne journée et la perspective d'un triste lendemain, je portai à mes lèvres une cuillerée du thé où j'avais laissé s'amollir un morceau de madeleine. Mais à l'instant même où la gorgée mêlée des miettes du gâteau toucha mon palais, je tressaillis, attentif à ce qui se passait d'extraordinaire en moi. Un plaisir délicieux m'avait envahi, isolé, sans la notion de sa cause.

Marcel Proust (*Du côté de chez Swann*, 1913)

DU CÔTÉ DE CHEZ SWANN

Lisez un extrait plus long du chef-d'œuvre de Marcel Proust.

③

LES RECETTES DE MES GRANDS-MÈRES

« Je suis née de deux familles où bien manger et partager autour d'un plat étaient art de vivre, et cuisiner et pâtisser étaient passions et religions. Et, que l'on ait été cuisinier et cuisinière de métier, charcutier, charpentier, épicier ou institutrice, il était de son devoir et de son vouloir de transmettre : transmettre des valeurs, une histoire, un savoir, un savoir-faire, une technique et, bien sûr, des recettes. »

HÉLÈNE DARROZE

Dans ce livre, Hélène Darroze maintient la tradition de la transmission et partage avec nous ses « madeleines de Proust » : des moments de bonheur passés dans son enfance avec les femmes de son entourage qui ont influencé sa cuisine et sa manière de voir la vie. Elle leur rend hommage en reliant chaque recette à un souvenir émouvant, nostalgique ou joyeux.

❷ Dans les documents 1, 2 et 4, trouvez un mot en relation avec chacun des cinq sens.

- le goût : ....
- l'odorat : ....
- l'ouïe : ....
- le toucher : ....
- la vue : ....

❸ Quelles émotions provoquent les souvenirs évoqués dans les documents ? Soulignez-les dans la liste proposée.

• Le bonheur	• La frustration	• Le plaisir
• La déception	• L'impatience	• La satisfaction
• Le dégoût	• La joie	• La surprise
• L'envie	• La nostalgie	• La tristesse

❹ Qu'en dites-vous ? 

- Quelle est votre « madeleine de Proust » ?

« Je suis presque sûr qu'il y a un autre élément venu du fond de notre enfance, qui nous marque plus ou moins pour la vie : c'est la cuisine familiale. »

Georges Simenon (*Un banc au soleil*, 1977)

④

LE BLOG DE MAMAN PAOLINETTE

LA POULE-AU-POT DOMINICALE

La première image qui me vient en mémoire est celle du repas du dimanche. C'était toujours le même rituel, le même menu, pendant quelques années. Dès 8 heures du matin, le tintement des casseroles nous indiquait que maman s'affairait dans la cuisine. Le menu ? Poule-au-pot. Nous avions un vieux fourneau à bois et ça mijotait lentement sur la plaque. En écrivant, j'ai les odeurs qui me chatouillent à nouveau les narines. Vers 11 heures, quand la cuisson était presque finie, on pouvait déguster le bouillon. Mon papa, très amateur de soupe, se versait un peu de ce précieux breuvage dans un bol avec une goutte de vin rouge et du parmesan râpé (on se demandait comment il pouvait mettre du vin dans la soupe...). Pour lui, c'était le meilleur menu que ma maman pouvait lui faire.

D'après marmiton.org

LANGUE

ON DIT :
se rappeler quelque chose/quelqu'un,
oublier quelque chose/quelqu'un,
se souvenir **de** quelque chose/**de** quelqu'un.

En cuisine

LE SAVIEZ-VOUS ?

Une mandoline est à la fois un instrument de musique et un ustensile de cuisine !

EXPRESSIONS

« Avoir un bon coup de fourchette » : avoir bon appétit, manger beaucoup.
« Un cordon-bleu » : une personne qui cuisine très bien.

1 Quels mots correspondent aux définitions suivantes ?

a. .... [spatyl] n.f. Baguette aplatie à un bout, utilisée pour remuer, étaler ; instrument formé d'un manche et d'une lame large.

b. .... [kaftjɛR] n.f. Ustensile permettant de préparer le café.

c. .... [egute] v.tr. Débarrasser (une chose) du liquide qu'elle contient, en le faisant écouler goutte à goutte.

d. .... [faRin] n.f. Poudre obtenue par la mouture de certaines graines de céréales et servant à l'alimentation.

e. .... [kuto] n.m. Instrument tranchant composé d'un manche et d'une lame.

f. .... [batR] v.t. Agiter pour mélanger.

g. .... [œf] n.m. Produit comestible de la ponte de certains oiseaux, poissons, etc.

h. .... [miksœR] n.m. Appareil électrique servant à broyer et à mélanger des denrées alimentaires.

i. .... [tomat] n.f. Fruit de couleur rouge à jaune, originaire des Andes et d'Amérique centrale, de taille et de forme différentes selon la variété.

2 Sur le même modèle, écrivez la définition des mots suivants.

- rincer : ....
- une balance : ....
- un oignon : ....
- un fouet : ....

LANGUE

ON NE DIT PAS :
cuire la viande, mais **faire** cuire la viande,
mijoter la blanquette, mais **laisser** mijoter la blanquette.

COMMENT DIRE ?

LES PRODUITS
LA FARINE
LE SUCRE
LE BEURRE
LES OEUFS
L'AIL
LA TOMATE
L'OIGNON
LE SEL
LE POIVRE

LES ACTIONS
FICELER
RINCER
MÉLANGER
ÉGOUTTER
AJOUTER
ÉPLUCHER
BATTRE

LES APPAREILS

LA CAFETIÈRE
LE ROBOT PÂTISSIER
LE GRILLE-PAIN
LA BOUILLOIRE
LE GAUFRIER
L'APPAREIL À RACLETTE
LA BALANCE

LES USTENSILES
LA LOUCHE
LE FAITOUT
LA RÂPE
LE COUTEAU
LA PASSOIRE
LE FOUET
LA SPATULE
LA PLANCHE À DÉCOUPER

Quantités et conditionnement

UNITÉS DE MESURE
Thermostat 3 = 90 °C = 194 °F
Thermostat 4 = 120 °C = 248 °F
Thermostat 5 = 150 °C = 302 °F
Thermostat 6 = 180 °C = 356 °F
Thermostat 7 = 210 °C = 410 °F
Thermostat 8 = 240 °C = 464 °F
140 g de farine = 1 cup
100 g = 3 ounces
200 g de sucre = 1 cup
200 g = 7 ounces
225 g de beurre = 1 cup = 8 ounces
225 ml = 1 cup = 8 fluid ounces (floz)

❶ Reliez chaque expression de quantité avec le produit correspondant.

Un paquet de •	• beurre
Un pot de •	• chocolat
Un sachet de •	• fraises
Une barquette de •	• thé
Une plaquette de •	• lait
Une tablette de •	• sardines
Une boîte de •	• vin
Une brique de •	• café
Une bouteille de •	• confiture

Un bouquet de persil

UN PEU, BEAUCOUP...

Quelques quantités approximatives : une poignée de, une cuillerée de, une pincée de, un zeste de, une noix de, une noisette de, etc.

LA RECETTE DES MADELEINES

❷ Écoutez la conversation (audio 3), puis relevez les expressions de quantité utilisées.

....

....

....

ÉCRITURE CRÉATIVE

❸ Sur le modèle ci-contre, rédigez une recette en utilisant un maximum d'expressions de quantité.

Poulet aux myosotis

Se procurer :
1 petit poulet bien tendre
1 bouquet de myosotis
1 pincée de vent
1 cuillerée de miel
1 zeste de soleil

Préparation et dégustation :
Caresser le petit poulet tendre de la tête au croupion. Mettre le bouquet de myosotis dans un vase bleu ciel. Y ajouter la pincée de vent et le zeste de soleil. Sans plus.
Déguster lentement la cuillerée de miel en regardant le petit poulet tendre picorer la pelouse pendant que les autres sont à table !

Joëlle Brière (*Alphabet des délices et des souffrances de la Renarde Rouge*, 1996)

LANGUE

EXPRIMER LA QUANTITÉ

On dit :			
	de la confiture	mais	une cuillerée **de** confiture
	du chocolat		une tablette **de** chocolat
	des carottes		un kilo **de** carottes
	article nom		expression de quantité + « **de** » + ~~article~~ nom

LE PRODUIT

Beurre ou huile d'olive ?

DUEL EN CUISINE !

Cuisiner au beurre ou à l'huile d'olive ? C'est une importante question qui se pose dans la cuisine française et qui divise même le pays ! En effet, on utilise traditionnellement le beurre dans le nord de la France et l'huile d'olive dans le sud, même si cette répartition géographique disparaît peu à peu.
La cuisson au beurre apparaît au XVe siècle. Le beurre est utilisé comme élément de base incontournable de la pâtisserie et des sauces dans la cuisine française, c'est la matière grasse la plus utilisée, sauf dans les régions méditerranéennes.
Et puis... au milieu du XXe siècle, les gens se soucient davantage de leur santé, de leur poids et c'est le début de la « diabolisation » du beurre ! Les nutritionnistes et les chefs s'intéressent alors à l'huile d'olive, au-delà de la région méditerranéenne, et sa consommation augmente dans toute la France, même si la France est le premier producteur de beurre en Europe et le premier consommateur mondial de beurre !

DES CLASSIQUES EN CUISINE

- Avec l'huile d'olive, on fait la vinaigrette, l'aïoli ; on fait rôtir, griller ; on assaisonne.
- Avec le beurre on fait, la sauce hollandaise, la sauce mousseline ; on fait sauter, poêler, revenir ; on dore.

TRUCS ET ASTUCES

L'huile empêche le beurre de brûler. Pour saisir des aliments, on mélange donc de l'huile et du beurre !

DEVINETTES...

1 Lequel des deux contient le plus de matières grasses ?

a. Le beurre ○
b. L'huile d'olive ○

2 Combien de litres de lait faut-il pour faire 1 kg de beurre ?

a. 2 litres ○
b. 12 litres ○
c. 22 litres ○

3 Combien de kilos d'olives faut-il pour faire 1 l d'huile ?

a. 2 kg ○
b. 6 kg ○
c. 12 kg ○

4 Que signifie « mettre du beurre dans les épinards » ?

a. Aggraver un conflit. ○
b. Améliorer ses conditions de vie. ○

LE SAVIEZ-VOUS ?

La couleur du beurre va du jaune pâle au jaune foncé et elle est liée à l'alimentation des vaches. Par exemple, elle est plus riche en carotène au printemps et le beurre a donc une couleur plus foncée.
« Beurre frais » est aussi le nom d'une couleur utilisée dans la mode !

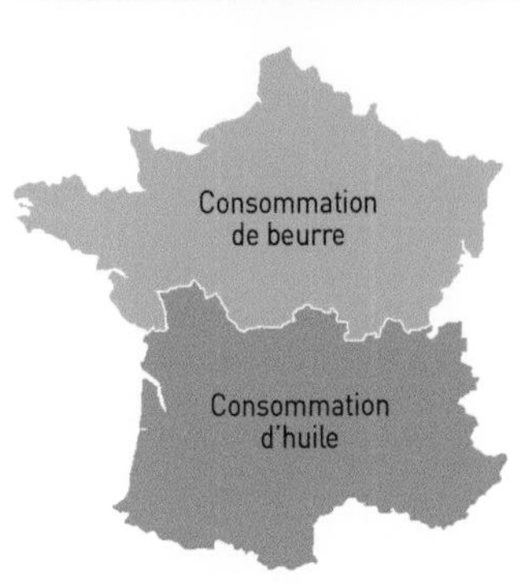

Le beurre et l'huile opposent Nord et Sud.

La blanquette de veau selon Paul Bocuse

INGRÉDIENTS
(POUR 6 PERSONNES)

1,5 kg de veau coupé en cubes
6 branches de persil plat
1 feuille de laurier
2 gros oignons
4 carottes
1 clou de girofle
2 tablettes de bouillon de poule
1 gros poireau
10 g de beurre
10 g de farine
500 g de crème fraîche épaisse
3 branches de cerfeuil
Sel fin / Poivre du moulin

USTENSILES
Une planche + un couteau
Un faitout
Une louche
De la ficelle de cuisine
Une écumoire

TEMPS DE PRÉPARATION
40 min

TEMPS DE CUISSON
1 h 20

Déposez la viande dans un faitout.
Versez de l'eau à hauteur et portez à ébullition à feu vif.
Ficelez 3 branches de persil avec la feuille de laurier pour faire un bouquet garni. Épluchez les oignons et coupez-les en huit. Pelez les carottes. Coupez-les en trois tronçons*. Mettez dans le faitout le bouquet garni, les oignons, les carottes, le clou de girofle et les tablettes de bouillon. Laissez frémir pendant 40 min.
Coupez le poireau en tronçons de 2 à 3 cm, en biseau.
Au terme de la cuisson, retirez la viande et les légumes du faitout avec une écumoire. Jetez le bouquet garni et le clou de girofle. Mettez le poireau dans le bouillon. Laissez cuire 20 min.
Retirez le poireau avec une écumoire. Laissez réduire le bouillon jusqu'à ce qu'il reste environ 2 louches de liquide.
Travaillez le beurre pour le réduire en pommade*. Ajoutez la farine. Mélangez soigneusement pour obtenir un beurre manié*. Déposez un peu de beurre manié dans une louche, avec du bouillon, et délayez*. Versez dans le bouillon, ainsi que le reste du beurre manié.
Versez la crème dans le faitout. Laissez cuire 2 à 3 min en mélangeant. Remettez la viande dans la sauce et laissez mijoter 10 min.
Vérifiez l'assaisonnement en sel. Poivrez. Remettez tous les légumes dans le faitout et laissez mijoter quelques minutes. Nappez de sauce. Décorez de persil et de cerfeuil dans l'assiette.

* voir « Trucs et astuces » page suivante.

D'après *Best of Paul Bocuse* (Alain Ducasse éditions, 2011).

❶ **Remettez les photos dans l'ordre de la recette.**

....

....

....

....

La blanquette de veau traditionnelle a été revisitée par de grands chefs

Le chef Pierre Gagnaire propose une blanquette de veau avec du pamplemousse rose, de la pomme Granny Smith, du gingembre et du miel de châtaigner. La chef Anne-Sophie Pic présente une sauce allégée et transformée en espuma* ; des légumes vite cuits, puis rafraîchis qui conservent leur croquant et leur couleur.

* voir p. 113.

TRUCS ET ASTUCES

Pour comprendre la recette

Le beurre manié est un mélange de beurre et de farine. On utilise le même poids de farine que de beurre. Il sert à « lier » les sauces (épaissir les sauces).

Pour obtenir un beurre pommade, on le travaille : on l'écrase, on le mélange, jusqu'à obtenir la consistance d'une pommade.

Un tronçon est la partie coupée d'un légume long.

Délayer signifie mélanger avec un liquide.

Pour une blanquette de veau rapide...

Faites cuire la viande dans une cocotte-minute, pendant 30 min seulement ! Vous pouvez aussi couper la viande en très petits cubes.

Quels morceaux de viande choisir pour la blanquette ?

Du tendron, du flanchet, de la poitrine.

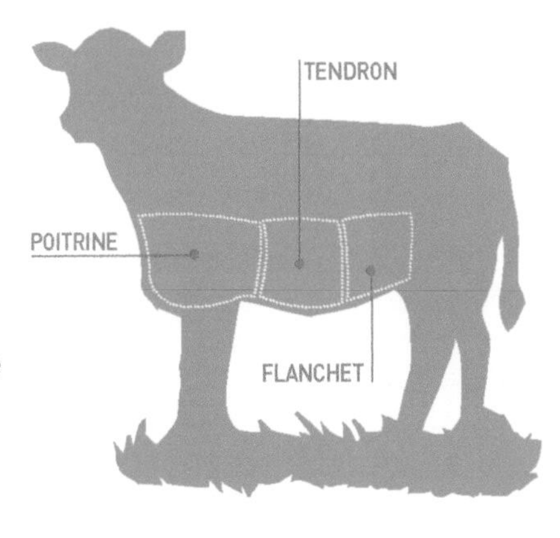

Quelques variantes faciles

- Remplacer la crème par du lait de coco.
- Ajouter de la vanille en poudre.

LANGUE

Pour indiquer ce qu'il faut faire dans une recette, on peut utiliser : soit l'infinitif (**verser** la crème), soit l'impératif (**coupez** les carottes), mais on ne mélange pas les deux !

LA BLANQUETTE MINUTE 

Découvrez la recette filmée de la blanquette minute.

❷ **De quelle manière pourriez-vous personnaliser la blanquette de veau ?**

René et Maxime Meilleur, un duo de chefs

LES MEILLEUR, CHEFS DE PÈRE EN FILS

Il n'est pas rare de trouver en France des dynasties de cuisiniers (familles Blanc, Bocuse, Darroze, Pic, etc.), mais ce qui est plus rare, c'est que ces cuisiniers exceptionnels soient des **autodidactes** !

Originaire de Savoie, fils d'agriculteur, René Meilleur quitte l'école à 14 ans et travaille comme commis de cuisine dans un village vacances. C'est là qu'il rencontre Marie-Louise qui deviendra sa femme et avec qui il construira de ses mains *La Bouitte* (« petite maison » en patois local).

Ils servent des spécialités savoyardes aux skieurs des stations voisines jusqu'au jour où ils s'offrent un repas chez Paul Bocuse. Ce repas est une révélation pour René : c'est cette cuisine qu'il veut désormais servir à ses clients ! Il étudie les recettes et s'inspire de la cuisine du maître tout en mettant à l'honneur les produits de son **terroir** tant aimé. Il gagne peu à peu en maîtrise, mais c'est son fils Maxime qui l'aidera à atteindre la rigueur qui lui manquait. Le jeune homme, qui est alors champion de biathlon, aide ses parents entre les entraînements et les compétitions. À la fin des années 90, il remplace **au pied levé** le pâtissier de *La Bouitte* et intègre l'équipe. Comme son père, il **apprend sur le tas** et s'applique à la tâche. Les deux hommes se comprennent sans se parler et l'association de leurs talents fait des merveilles pour accéder aux étoiles !

LE SAVIEZ-VOUS ?

Le Guide Michelin est l'un des plus anciens et des plus célèbres guides gastronomiques du monde ; il existe depuis le début du XXe siècle. Chaque année, il décerne les « étoiles Michelin » qui récompensent les meilleurs établissements.

Restaurant La Bouitte. 2003 : première étoile ; 2008 : deuxième étoile ; 2015 : troisième étoile.

« La première étoile, c'est celle de René. La seconde, c'est celle de Maxime. La troisième, cette année, c'est la leur à eux deux. »

Marie-Louise Meilleur, 2015

« On fait une cuisine nature, compréhensible. Un peu **taquine**. On cache des choses dans chaque plat. »

René Meilleur

❶ Quelle est la bonne définition des expressions suivantes ?

a. autodidacte : qui a appris seul ◯ qui travaille seul ◯

b. terroir : région avec ses caractéristiques et traditions propres ◯ morceau de terrain ◯

c. au pied levé : avec attention ◯ sans préparation ◯

d. apprendre sur le tas : apprendre en faisant ◯ apprendre en plein air ◯

e. taquine : coquine, espiègle ◯ créative ◯

FAISONS LE POINT

LES SAVEURS DU PALAIS

Film de Christian Vincent (2012)

Hortense Laborie est nommée responsable des repas personnels du président de la République au palais de l'Élysée. Malgré les jalousies des chefs de la cuisine centrale, elle s'impose avec son fort caractère.

À VOTRE AVIS ?

1 Quelles sont les deux significations du mot « palais » ?

....

....

TESTONS NOS CONNAISSANCES

2 Quel ingrédient ne figure pas dans la recette de la blanquette de veau ?

a. des carottes ◯ **b.** du lait ◯
c. de la farine ◯ **d.** des oignons ◯

3 Citez deux expressions utilisées pour parler d'une petite quantité.

....

....

4 Vrai ou Faux ?

La mandoline est un ustensile de cuisine.
V◯ F◯

5 Que signifie « revisiter » une recette ?

....

....

6 Que représente ce logo ? 

....

....

7 Que signifie « un cordon-bleu » ?

....

....

8 Pour chaque catégorie, écrivez un mot qui commence par la lettre c.

Un légume : ....
Un ustensile : ....
Un verbe : ....
Une quantité : ....

9 Qu'en dites-vous ?

- Passez-vous beaucoup de temps en cuisine ? (à parler, cuisiner, manger, lire le journal)
- Êtes-vous un cordon-bleu ?
- Avez-vous appris à cuisiner ? Si oui, comment ? Dans quelles circonstances ? Qui vous a appris à cuisiner ?
- Quel est votre plus ancien souvenir en cuisine ?
- Existe-t-il des familles, des dynasties ou des lignées de cuisiniers dans votre pays ?
- Quel est votre plat préféré ? Le plat symbolique de votre pays ?
- Êtes-vous plutôt sucré ou salé ?
- Préférez-vous cuisiner seul(e) ou avec quelqu'un ?
- Que mangez-vous quand vous êtes triste ?

2 • MANGER AU QUOTIDIEN

DÉCOUVRIR

Les repas rythment la journée

LES FRANÇAIS, CHAMPIONS DU « VRAI REPAS »

Les Français restent attachés aux trois repas traditionnels, synonymes de convivialité ; le petit-déjeuner, le déjeuner et le dîner continuent de rythmer leur journée. Sans oublier le goûter, que les enfants aiment tant en rentrant de l'école !

Au fil des années, les horaires se sont un peu décalés, mais les trois repas sont toujours pris massivement aux mêmes heures. Ainsi, en semaine, le petit-déjeuner est pris autour de 8 heures, le déjeuner à 13 heures et le dîner vers 20 heures. Au total, sur une journée, les Français consacrent 2 heures 20 en moyenne à manger, majoritairement à table. Sans surprise, le repas constitue pour les Français un des moments les plus agréables de la journée, surtout quand il est partagé.

Pour les Français, un « vrai repas », ou « repas traditionnel » est le résultat de règles gastronomiques, nationales, régionales et familiales. Il est constitué d'une entrée, d'un plat de viande (ou de poisson) accompagné d'une garniture de légumes (ou de féculents) et d'un dessert précédé de fromage. Évidemment, ce modèle est difficile à suivre tous les jours à cause des contraintes de la vie quotidienne (trouver les bons produits, avoir le temps et les moyens) et il se réduit quelquefois à un plat unique, surtout à midi.

En dehors des créneaux 12 h - 14 h et 19 h - 22 h, la plupart des restaurants ne servent pas. Si vous voulez manger à toute heure, il faudra vous tourner vers les brasseries ou de grandes chaînes de restauration.

❶ Laquelle de ces phrases correspond le mieux au texte ?

a. Il est important pour les Français d'être à table en même temps.
b. Les trois repas sont constitués selon des règles traditionnelles.
c. Les Français aiment passer du temps à table, mais ils préfèrent grignoter entre les repas.

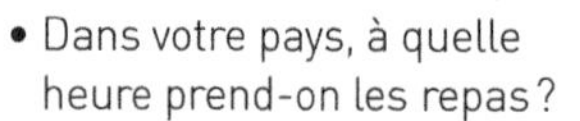

❷ Qu'en dites-vous ?

- Dans votre pays, à quelle heure prend-on les repas ?
- Le repas de midi ou du soir est-il composé d'un plat unique ou de plusieurs plats ?

LE SAVIEZ-VOUS ?

Le souper a longtemps été le repas de la fin d'après-midi, puis a changé d'horaire pour se prendre en soirée. Il désigne aujourd'hui le repas d'après spectacle, consommé en milieu de nuit. Dans certaines régions, le mot « souper » est synonyme de dîner.

LANGUE

ON NE DIT PAS :
manger son repas ;
manger son petit-déjeuner ;
manger son déjeuner ;
manger son dîner.

ON DIT :
prendre un repas ; ***prendre*** son petit-déjeuner ;
déjeuner ; dîner ; souper.

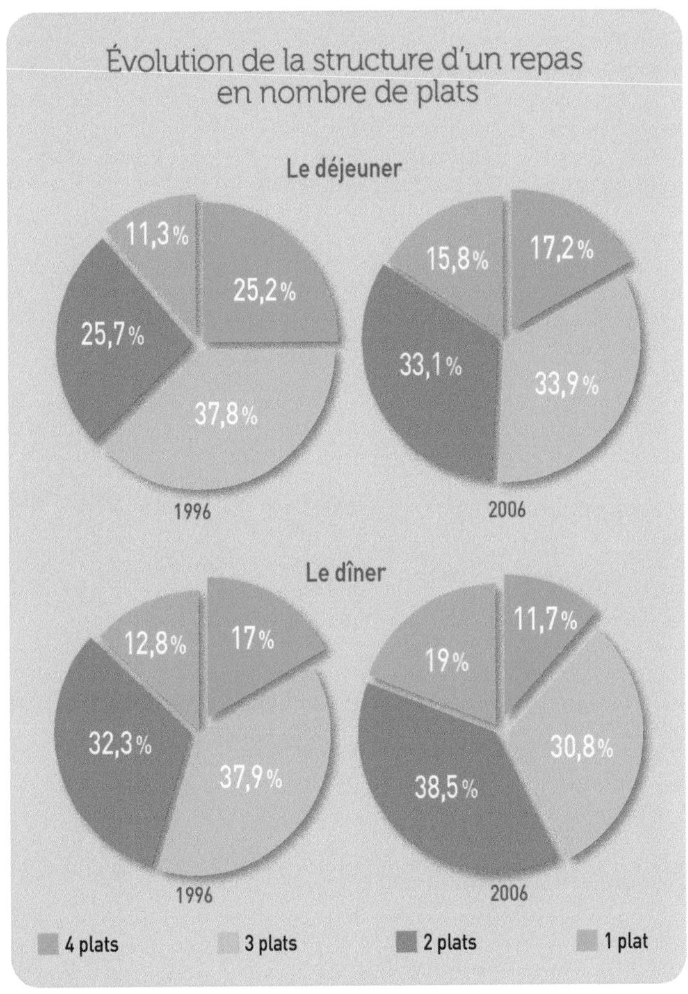

Source : lanutrition.fr

❸ Vrai ou faux ?

a. En 2006, le déjeuner et le dîner sont composés de trois ou quatre plats pour la plupart des Français. V◯ F◯

b. Le nombre de Français qui consomment quatre plats au dîner a augmenté. V◯ F◯

c. En 1996, il y a autant de Français qui consomment trois plats à midi que de Français qui en mangent quatre. V◯ F◯

d. Il y a de moins en moins de Français qui mangent trois plats le soir. V◯ F◯

Le petit-déjeuner

Tous les matins, petit-déjeuner, c'est rompre le jeûne de la nuit.

LE PETIT-DÉJEUNER, UN RITUEL

Pour beaucoup de Français, c'est un rituel indispensable pour bien commencer la journée car, en plus de son intérêt nutritionnel, il joue un rôle important dans le maintien du lien familial : on le prend le plus souvent chez soi, à table. Pourtant, de plus en plus de gens sautent ce repas, faute de temps ou d'appétit, et certains emportent quelque chose à grignoter sur le chemin de l'école ou du travail.
Il dure un quart d'heure en moyenne en semaine, mais se prolonge le week-end et les Français apprécient de prendre le temps de partager ce moment de convivialité et de plaisir.
Contrairement aux autres repas de la journée, le menu du petit-déjeuner est personnalisé et chacun le compose selon ses goûts et son appétit : café, pain-beurre-confiture pour les uns, céréales et lait pour les autres... Les croissants s'invitent à table de temps en temps, surtout le week-end où l'on prend le temps de faire la grasse matinée, d'aller jusqu'à la boulangerie et où le petit-déjeuner est généralement plus copieux qu'en semaine. Selon le Programme National Nutrition Santé (PNNS), le petit-déjeuner idéal se compose d'un produit céréalier, d'un fruit, d'un produit laitier et d'une boisson.

EXPRESSIONS

La sagesse populaire dit qu'il faut « manger comme un roi le matin, comme un prince à midi et comme un pauvre le soir ».

« Sauter un repas » signifie ne pas prendre ce repas.

On appelle « une noisette » un café avec un nuage de lait et « un café au lait », un café qui contient la même quantité de lait que de café.

❶ Lisez le texte et répondez aux questions.

a. Pour quelles raisons certaines personnes ne prennent pas de petit-déjeuner ? ....

....

b. Quelle est la durée moyenne du petit-déjeuner en France ?

....

....

c. Quel petit-déjeuner est recommandé aux Français par le PNNS ?

....

....

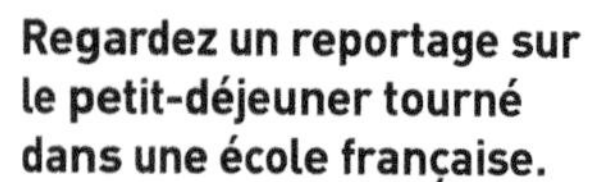

QUE MANGENT LES ENFANTS ?

Regardez un reportage sur le petit-déjeuner tourné dans une école française.

MON PETIT-DÉJEUNER 

❷ Écoutez le témoignage (audio 4) et entourez sur le dessin ce que la personne interrogée mange.

❸ Qu'en dites-vous ? 

- Prenez-vous un petit-déjeuner chaque jour ?
- Où prenez-vous généralement votre petit-déjeuner ?
- De quoi se compose votre petit-déjeuner habituel ? Est-il représentatif de votre pays ?

« Elle se levait la première et, comme nous faisions la grasse matinée, elle nous apportait le petit-déjeuner. »

Jean-Paul Sartre (*Huis clos*, 1944)

QUE TROUVE-T-ON SUR LA TABLE DU PETIT-DÉJEUNER DES FRANÇAIS ?

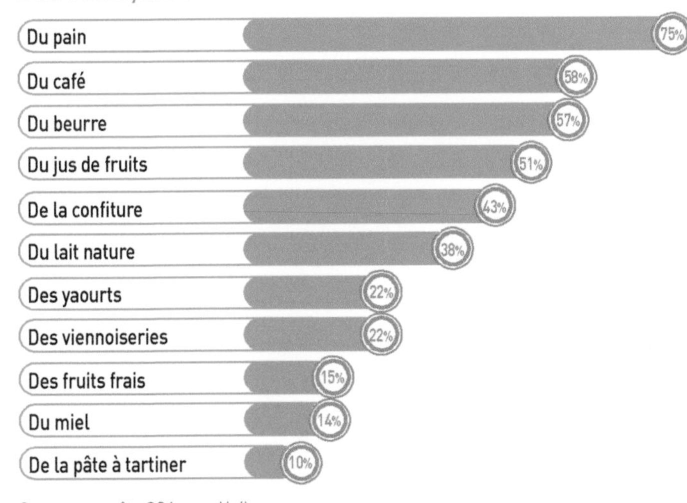

Source : enquête CSA pour Unijus.

LE SAVIEZ-VOUS ?

L'expression « petit-déjeuner » apparaît à la fin du XIXe siècle, et s'impose au milieu du XXe siècle. Jusqu'au début du XXe siècle, le petit-déjeuner se compose souvent d'une soupe ou de pain trempé dans du vin.

LA CONFITURE 

Découvrez la chanson comique des Frères Jacques (1973).

LANGUE

Le petit-déjeuner est communément appelé « p'tit dèj' ».

Où mangent les Français le midi ?

LA PAUSE DE MIDI

Pas de journée de travail sans pause déjeuner ! La coupure traditionnelle de midi résiste à l'évolution des rythmes de travail, même si elle s'est considérablement réduite ces vingt dernières années : on est passé d'1 heure 30 à 25 minutes en moyenne, et le foyer n'est plus le lieu majoritaire où l'on déjeune. Toutefois, pour la majorité des Français, la pause déjeuner est essentielle, nécessaire pour faire retomber le stress et recharger les batteries pour le reste de la journée.
De plus en plus de Français apportent leur déjeuner au travail, pour des raisons économiques, mais aussi pour maîtriser ce qu'ils mangent. Ils ne mangent généralement pas en travaillant et la loi française oblige les entreprises à prévoir un lieu « permettant de se restaurer dans de bonnes conditions d'hygiène et de sécurité ». Les plus nombreux sont ceux qui prennent le temps de se mettre à table, chez eux, au restaurant ou à la cantine (le restaurant d'entreprise) et quelques-uns mangent sur le pouce, dans la rue ou devant leur écran. Ceux qui sautent ce repas peuvent se compter sur les doigts d'une main !

EXPRESSIONS

« Manger sur le pouce » : manger rapidement, sans forcément se mettre à table.

Dans la restauration, on appelle « coup de feu » le moment du service où il y a le plus d'affluence, et donc beaucoup de travail.

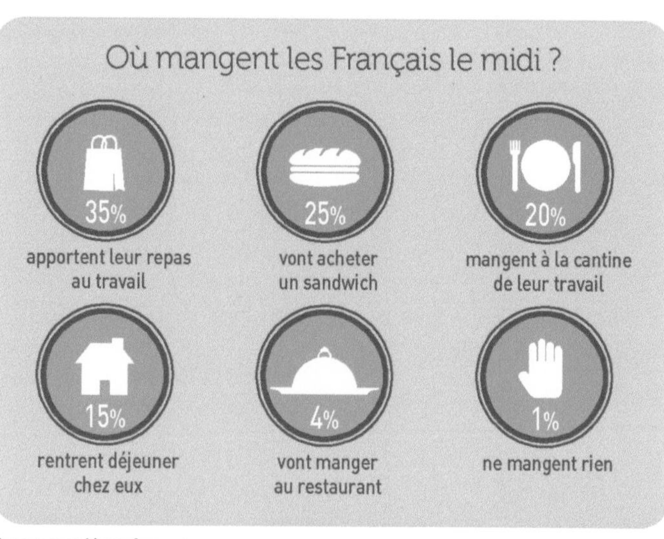

Source : reso44.resofrance.eu

LE SAVIEZ-VOUS ?

En France, presque tous les restaurants proposent un plat du jour. C'est un plat qui change chaque jour selon l'inspiration du chef et les produits de saison, et qui est, en général, moins cher que les plats de la carte.

❶ Reliez les expressions et leur signification ?

Recharger les batteries •	• La maison
Le foyer •	• Être peu nombreux
Se compter sur les doigts d'une main •	• Reprendre des forces

❷ Qu'en dites-vous ? 

- Quelle information vous étonne le plus dans les documents ci-dessus ?
- Où mangez-vous en général à midi ?
- Combien de temps dure votre pause déjeuner ?
- Existe-t-il des restaurants scolaires ou d'entreprise dans votre pays ?

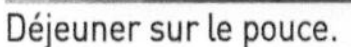

Déjeuner sur le pouce.

Déjeuner à la cantine.

Entre midi et deux, en terrasse.

OÙ MANGEZ-VOUS LE MIDI EN SEMAINE ?

Hamid, 35 ans, conseiller financier

J'essaie de préparer et d'apporter mon repas, mais quand je n'ai pas le temps, je m'achète une formule « sandwich-boisson-dessert » dans une boulangerie, à deux pas de mon bureau. Je fais une courte pause pour manger dans la cuisine de ma société s'il y a des collègues avec qui discuter. Sinon, je mange à mon bureau tout en travaillant.

Léna, 13 ans, collégienne

Je mange à la .... parce que je n'ai pas le temps de rentrer chez moi entre midi et deux. On a toujours un .... chaud : du poisson ou de la viande avec deux .... au choix, une entrée (en général des crudités), un produit laitier : petit-suisse, yaourt, fromage et un ...., qui est un fruit ou une pâtisserie. Je mange avec des copines et on passe à peu près 45 minutes à table à discuter.

Benoît, 58 ans, cadre supérieur

Je mange la plupart du temps au restaurant d'entreprise, c'est le meilleur rapport qualité/prix/rapidité.
Il m'arrive d'aller au restaurant quand j'ai un déjeuner d'affaires et là, on passe plus d'une heure à table et on fait un repas plus copieux et en général plus arrosé, avec une bonne bouteille !

ÉCRITURE CRÉATIVE

3 Sur le modèle ci-contre, imaginez le témoignage de Manon, qui rentre déjeuner chez elle.

Manon, 23 ans, standardiste

....
....
....
....
....
....
....
....

À LA CANTINE

4 Écoutez le témoignage de Léna (audio 5) et complétez le texte ci-dessus.

Le pain

TRUCS ET ASTUCES

S'il reste du pain, on ne le jette pas ! On peut en faire des croûtons à ajouter dans une salade ou une soupe, de la chapelure pour faire des escalopes cordons-bleus, ou encore du pain perdu.

Des croûtons dans une salade.

De la chapelure.

RECETTE DU PAIN PERDU
15 tranches de pain rassis (sec), 3 œufs, 750 ml de lait, sucre vanillé

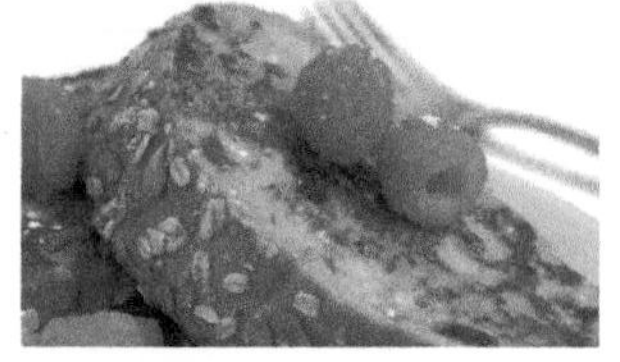

Mélangez les œufs, le sucre et le lait.
Faites tremper le pain dans ce mélange.
Dans une poêle, faites fondre une noisette de beurre.
Faites dorer les tranches de pain.
Servez avec du sucre, du miel, du sirop d'érable ou de la confiture.

« TU AS PRIS LE PAIN ? »

C'est une phrase que l'on entend chaque jour dans presque tous les foyers en France ! En effet, 98 % des Français consomment du pain, en moyenne 160 g par jour. Le pain traverse l'histoire de la France et a une valeur symbolique, notamment lors de la Révolution française. En 1793, on impose aux boulangers de faire un pain « égalitaire », le même pour tous, nobles ou gens du peuple.

La baguette, star du repas quotidien, mesure aujourd'hui 65 cm et pèse environ 250 grammes... On en produit 10 milliards par an en France. Mais le pain existe sous de nombreuses formes (baguette, flûte, miche, boule, marguerite, ficelle, épi, etc.) et de nombreuses variétés (aux olives, aux noix, aux céréales, de campagne, au pavot, au seigle, complet, etc.). Il est indispensable à la dégustation d'un bon fromage et accompagne avec bonheur le beurre, la confiture ou le miel des tartines du goûter ou du petit-déjeuner. Les ingrédients de base du pain sont toujours les mêmes : de la farine, de l'eau, de la levure et du sel, mais le pain est une matière vivante et son goût varie en fonction de plusieurs facteurs : la qualité des produits utilisés, le mélange des farines, la fermentation, le pétrissage, la cuisson et, évidemment, le savoir-faire du boulanger !

❶ Qu'en dites-vous ?

- Existe-t-il dans votre pays un produit qui accompagne tous les repas, comme la baguette ?

Autour du pain

Viennoiseries (de gauche à droite) : un croissant, une chouquette, une brioche, un pain aux raisins, un pain au chocolat, un chausson aux pommes, un saint-genix.

LA MIE
peut être : aérée, alvéolée, serrée, dense, etc.

LA CROÛTE
peut être : croustillante, molle, craquante, dure, épaisse, fine, dorée, ambrée, blanche, brune, farinée, etc.

LE PAIN
peut être : frais, rassis, grillé, blanc, complet, etc.

❷ Reliez les expressions et leur signification.

Gagner sa croûte •	• Tromper quelqu'un
Avoir du pain sur la planche •	• C'est facile, c'est une bonne occasion
Manger son pain blanc •	• Avoir des débuts faciles
Long comme un jour sans pain •	• Être dans une situation embarrassante
Rouler quelqu'un dans la farine •	• Gagner sa vie en travaillant
C'est du pain bénit •	• Très long, interminable
Être dans le pétrin •	• Avoir beaucoup de travail à faire

ÉCRITURE CRÉATIVE 

❸ À l'aide des mots proposés ci-dessus et du lexique proposé sur le site internet, décrivez une baguette que vous aimeriez manger, puis une baguette qui ne vous fait pas envie.

LA POÉSIE DU PAIN 

Découvrez le texte du poète Francis Ponge sur le pain.

MA BAGUETTE MAISON 

Apprenez à faire votre propre baguette !

❹ Placez les mots suivants sur le dessin.

un couteau à beurre • la croûte • la mie • le quignon • une tartine • une tranche

On peut couper une tranche, un morceau ou encore un quignon de pain avec un couteau à pain à larges dents et faire une tartine. On peut aussi le rompre à la main. On le conserve dans une huche (une boîte) à pain ou dans un sac en tissu.

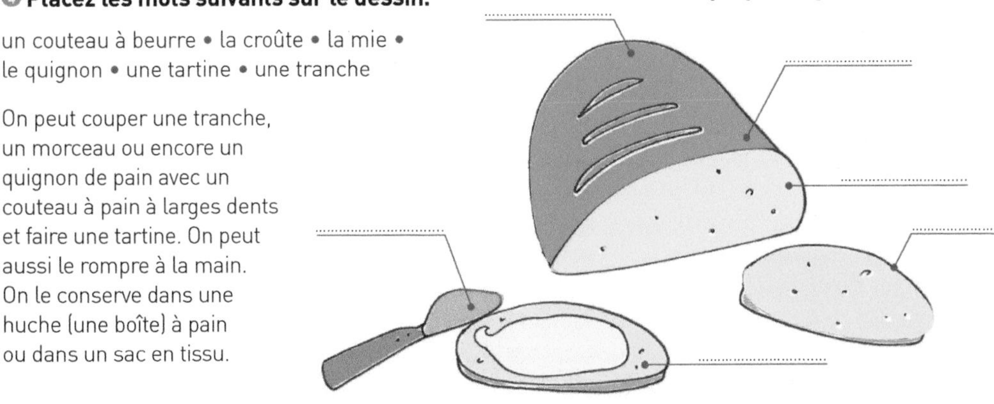

Magrets de canard au poivre, sauce bigarade

INGRÉDIENTS
(POUR 4 PERSONNES)

Pour la préparation des magrets
2 magrets de canard
2 cuillères à soupe (c. à s.) de poivre noir concassé

Pour la préparation de la sauce bigarade
2 verres de fond blanc* de volaille
2 oranges non traitées
1 c. à s. de sucre
1 c. à s. d'eau
1 c. à s. de vinaigre de vin blanc

USTENSILES
Une casserole
Une poêle

TEMPS DE PRÉPARATION
20 min

TEMPS DE CUISSON
10 min pour les magrets
20 min pour la sauce

PRÉPARATION DES MAGRETS
Parez les magrets (éliminez les parties non comestibles ou non présentables). Quadrillez le gras avec la pointe du couteau (tracez des incisions en diagonale, sans entamer la chair) et poivrez les magrets du côté où se trouve la graisse. Réservez au frais.

PRÉPARATION DE LA SAUCE BIGARADE
Versez le fond blanc de volaille dans une casserole, chauffez et faites-le réduire* des trois-quarts. Pressez le jus des oranges (réservez un zeste).
Mettez le sucre dans une casserole avec 1 c. à s. d'eau et faites cuire jusqu'à obtenir un caramel blond*. Ajoutez le vinaigre de vin blanc et le jus des oranges pour déglacer. Remuez et laissez réduire jusqu'à la consistance d'un sirop.
Râpez le zeste de l'orange dans la casserole, versez le fond blanc* de volaille et poivrez. Mélangez et laissez cuire encore 5 minutes jusqu'à ce que la sauce soit bien onctueuse, comme une crème. Gardez la sauce au chaud.

CUISSON DES MAGRETS
Salez les magrets du côté de la chair. Déposez-les dans une poêle bien chaude, du côté poivre. Rôtissez les magrets pendant 3 à 5 minutes en fonction du degré de cuisson désiré. Retournez ensuite du côté de la chair et continuez la cuisson quelques minutes (on peut aussi le faire au four).
Quand les magrets sont cuits, emballez la viande dans du papier d'aluminium et laissez-la reposer une dizaine de minutes, au chaud. La chair de la viande sera plus moelleuse.

FINITION ET PRÉSENTATION
Coupez les magrets en tranches de 0,5 cm d'épaisseur et déposez-les sur des assiettes. Ajoutez un filet de sauce bigarade.

* voir « Trucs et astuces » page suivante.

TRUCS ET ASTUCES

Pour comprendre la recette

Faire réduire un liquide, c'est le faire bouillir afin d'évaporer l'eau pour concentrer les arômes et obtenir une consistance plus épaisse.

Le fond blanc de volaille est un bouillon réalisé à partir de volaille et de légumes.

Comment obtenir un caramel blond ?
Mettre le sucre et l'eau dans une casserole. Faire chauffer. Dès que l'eau bout, le sucre se colore et on obtient un caramel blond.

Où se trouve le magret de canard ?

COU : farci, en rillettes...

CUISSES ET MANCHONS : confits, poêlés, grillés...

AIGUILLETTES : poêlées, grillées...

MAGRETS : confits, grillés, rôtis, en tournedos, fumés, en tartare...

FOIE GRAS : terrines, escalopes...

Pour gagner du temps

Le magret de canard est délicieux avec les sauces aigres-douces, mais si vous n'avez pas le temps de faire une sauce, poêlez quelques fruits pour la douceur (cerises, pêches, figues, etc.) et ajoutez quelques gouttes de vinaigre balsamique pour l'acidité.

Les moules-frites sont une spécialité du nord de la France servie dans de nombreuses brasseries.

LES PLATS PRÉFÉRÉS DES FRANÇAIS

Le magret de canard et le fondant au chocolat sont le plat et le dessert préférés des Français !

En 2015, les 5 plats préférés des Français sont :

1. Magret de canard
2. Moules-frites
3. Couscous
4. Blanquette de veau
5. Côte de bœuf

❶ Qu'en dites-vous ? 

- Quel est le plat préféré dans votre pays ?
- Quel est le dessert préféré dans votre pays ?

LANGUE

AUTOUR DU VERBE « BOUILLIR »...

On utilise principalement le verbe « bouillir » à la 3ᵉ personne du singulier : l'eau **bout**.
On l'utilise aussi dans son sens passif « faire bouillir » : **faites bouillir l'eau**.
On utilise également l'expression « porter à ébullition » : **portez l'eau à ébullition**.

EXPRESSIONS

« Il fait un froid de canard ! » : il fait très froid.

« Ça ne casse pas trois pattes à un canard ! » : ça n'a rien d'exceptionnel.

MON DESSERT PRÉFÉRÉ 

❷ Écoutez le témoignage de Xavier (audio 6) et entourez ci-dessous son dessert préféré.

Les 5 desserts préférés des Français sont :

1. Fondant au chocolat
2. Crêpes
3. Mousse au chocolat
4. Île flottante
5. Tarte aux pommes

L'île flottante doit son nom à sa forme : les blancs en neige flottent sur la crème anglaise.

Djibril Bodian, un boulanger de talent

Djibril Bodian devant son pétrin, à la boulangerie des Abbesses.

1 Relevez les indicateurs de temps utilisés dans le texte et classez-les selon ce qu'ils expriment.

- un moment précis : ....
- une durée : ....
- une répétition : ....
- une succession : ....
- une fréquence : ....
- une simultanéité : ....

2 D'après le texte, qu'est-ce que le prix de la meilleure baguette a apporté à Djibril Bodian ?

....

....

L'INTERVIEW

Djibril Bodian parle de son pain.

« Il faut une bonne mie, une bonne croûte et une bonne odeur. Pour cela, il y a le savoir-faire du boulanger. Il faut travailler les levures, c'est ce qui va donner du goût au pain. Sans oublier un bon meunier. »

Antonio Teixeira, lauréat du concours en 2014

LA MEILLEURE BAGUETTE DE PARIS !

C'est un fait rarissime : Djibril Bodian a obtenu deux fois le prix de la meilleure baguette de Paris, un grand prix délivré par la mairie de Paris. Djibril Bodian est un artisan boulanger professionnel qui travaille pour la boulangerie *Le Grenier à Pain*, dans le quartier des Abbesses, à Paris. Il a remporté ce prix en 2010 et à nouveau en 2015. La meilleure baguette de Paris se trouve donc, pour le moment, dans le 18e arrondissement* !

C'est son père, qui était lui-même boulanger, qui lui a transmis l'amour de ce métier. Djibril est né au Sénégal et il est arrivé en France à l'âge de 6 ans. Il a d'abord passé un CAP* pâtisserie, puis un CAP boulangerie et a trouvé un poste de boulanger aux Abbesses. En même temps qu'il travaillait, après ses journées de travail, il prenait des cours du soir pour passer le brevet de maîtrise. Il dormait deux ou trois heures et revenait travailler ! Il a été ensuite responsable de toute une équipe et au bout de six ans, il est devenu gérant. Aujourd'hui, grâce à son travail et à ce prix, Djibril Bodian a l'honneur de livrer le Palais de l'Élysée, chaque jour, pendant un an.

*Arrondissement (n.m.) : division administrative d'une ville. La ville de Paris est divisée en vingt arrondissements.
*Le certificat d'aptitude professionnelle (CAP) donne une qualification d'ouvrier ou d'employé qualifié dans un métier déterminé.

« Gagner une fois peut être le fruit du hasard ou de la chance. Mais remporter ce prix deux fois de suite, c'est tout sauf le hasard. »

Michel Galloyer, fondateur des boulangeries *Le Grenier à Pain*

LE SAVIEZ-VOUS ?

La meilleure baguette de Paris est sélectionnée parmi 231 baguettes !
Elle est notée selon les points suivants : l'aspect, le goût, la cuisson, l'odeur et la mie.
Les critères imposés lors du concours de la meilleure baguette de Paris sont très précis : elle doit mesurer entre 55 et 65 cm, peser entre 250 et 300 grammes et avoir une teneur en sel de 18 grammes maximum par kilo de farine.

FAISONS LE POINT

À TAAABLE !
Livre de recettes (2014)
Les héros de la savoureuse série télévisée *Fais pas ci, fais pas ça* vous invitent à leur table. Vous retrouverez avec délice les exquises recettes de Mme Lepic, les assiettes étonnantes de Denis Bouley… et les répliques salées de leurs adolescents ! À déguster en famille, avec gourmandise…

ÉCRITURE CRÉATIVE 

❶ À votre tour, choisissez un livre, un film ou une série et rédigez une critique en utilisant le maximum d'expressions liées à la nourriture.

À L'ÉCRAN 

Regardez les épisodes de la série *Fais pas ci, fais pas ça*, une série populaire et familiale.

ÉCHANGES 

❷ Qu'en dites-vous ?

- Quel est le repas de la journée le plus important pour vous ?
- Où préférez-vous manger si vous avez le choix : chez vous, au restaurant, dans la rue, au bureau, au fast-food ? Pourquoi ?
- Combien de temps passez-vous à table ?
- Mangez-vous du canard dans votre pays ? En consommez-vous régulièrement ?

TESTONS NOS CONNAISSANCES

❸ Que peut-on faire avec des restes de pain ?

....

....

....

❹ Vrai ou faux ?

a. Les Français sont attachés aux trois repas traditionnels. **V** ◯ **F** ◯

b. On peut dire : Je mange mon dîner. **V** ◯ **F** ◯

❺ Quelle expression peut-on utiliser pour dire que l'on mange rapidement ?

....

....

❻ Qu'est-ce qui fait la qualité d'un bon pain ?

....

....

❼ Que signifie « une noisette » quand ce n'est pas le fruit du noisetier ?

....

❽ Citez deux morceaux du canard que l'on consomme.

....

....

❾ Quel est le dessert préféré des Français ?

....

❿ Citez deux viennoiseries.

....

....

Qu'est-ce qu'un bon produit ?

UNE HISTOIRE DE GOÛT

En France, sous Louis XIV, à la Cour, le goût devient une affaire d'État : il y a le bon et le mauvais goût, le bon goût étant celui du souverain. Le roi montre sa puissance sur la nature par le choix de ses aliments : leur variété, leur qualité et leur rareté. Aujourd'hui encore, nous sommes à la recherche du bon produit.

Quand on parle de *bon produit*, on pense d'abord à son goût : est-il conforme à ce que je connais du produit, à ce que j'aime ? Évidemment, il existe d'autres critères pour définir cette qualité : on peut s'intéresser à la fraîcheur du produit, à sa saisonnalité, à sa maturité, à ses lieux et modes de production, à son aspect et à ses qualités nutritionnelles.

Pour les fruits et légumes, par exemple, la saisonnalité est importante, car si on achète un produit « de saison », on a plus de chance d'avoir un produit qui a du goût et qui a poussé dans de bonnes conditions.

Les fromages aussi ont une saisonnalité ; ils n'ont pas les mêmes saveurs en automne, en hiver, au printemps et en été, car leur goût dépend en grande partie du lait utilisé pour leur fabrication et le goût du lait est lié à l'alimentation des animaux. Un fromage préparé avec le lait d'une vache qui a brouté de l'herbe fraîche a une saveur différente du fromage produit avec le lait d'une vache nourrie avec du foin dans une étable. Cependant, la durée d'affinage varie selon les fromages et permet de trouver, même en hiver, des fromages à pleine maturité, fabriqués à partir de lait de printemps ou d'été.

LE SAVIEZ-VOUS ?

En 2014, une chaîne de supermarchés a lancé une campagne « les fruits et légumes moches » pour sensibiliser les consommateurs aux qualités des fruits et légumes quelle que soit leur apparence et lutter contre le gaspillage alimentaire.

LES PRODUITS DE SAISON

Découvrez le calendrier des fruits et légumes de saison.

❶ Associez les questions aux caractéristiques du produit.

Quand a-t-il été produit ? •	• L'aspect
Est-ce un produit de saison ? •	• La fraîcheur
Est-il bon pour la santé ? •	• Le lieu de production
Est-ce un produit local ? •	• La maturité
Est-il beau, régulier ? •	• Le mode de production
Est-ce un produit bio ? •	• La saisonnalité
Est-il assez mûr ? •	• Les qualités nutritionnelles

❷ Qu'en dites-vous ?

- Pour vous, qu'est-ce qu'un bon produit ?
- Êtes-vous attentif à la saisonnalité du produit ?
- Êtes-vous sensible à l'apparence d'un fruit ou d'un légume ? En achèteriez-vous un moche ?

LABELS ET SIGNES DE QUALITÉ

Certains produits alimentaires ont un label qui est un signe de qualité.
Le Label Rouge : il signifie que le produit est de qualité supérieure par rapport à d'autres produits similaires. Ses conditions de production sont réglementées.
Le label AB : il garantit que le produit vient de l'agriculture biologique (bio), un mode de production respectueux de l'environnement et du bien-être des animaux. Elle respecte des règles très strictes contenues dans un cahier des charges précis. Les produits de synthèse et les organismes génétiquement modifiés (OGM) sont interdits. Un produit certifié AB est donc un produit dont au moins 95 % des ingrédients sont issus de l'agriculture biologique.

EXPRESSIONS

« Être une bonne poire » : être trop gentil, un peu naïf, facile à tromper.

LA FILIÈRE BIOLOGIQUE

76 % des produits bio consommés en France viennent de France.
Début 2015, parmi les consommateurs de produits bio :

achètent des fruits et légumes bio

achètent des produits laitiers bio

achètent des produits d'épicerie bio (huiles, pâtes, riz, etc.)

achètent des œufs bio

achètent des boissons bio

achètent de la viande bio

achètent du pain bio

Où les Français font-ils leurs courses ?

FAIRE SON MARCHÉ

Pour des raisons pratiques, les Français font la plupart de leurs achats alimentaires (70 %) au supermarché, mais ils vont aussi au marché. Le marché a l'image positive d'un lieu où l'on trouve de bons produits, et il y en a plus de 8 000 en France métropolitaine. Il se tient en général le matin, une ou plusieurs fois par semaine, et c'est un véritable lieu d'échanges économiques et sociaux.
Le marché, c'est la proximité. Proximité de son domicile ou de son lieu de vacances, proximité avec le produit, que l'on peut voir de près et dont on peut apprendre l'histoire en discutant avec les commerçants qui sont souvent les producteurs de leur marchandise. C'est une manière de se rassurer sur les filières et les origines des produits face à l'anonymat des hypermarchés.

Sur le marché se rencontrent des populations multiples : personnes âgées ou jeunes parents, gens modestes ou plus aisés ; c'est un lieu d'échanges que fréquentent les hommes politiques avant les élections. Pour beaucoup de citadins, aller au marché (« faire son marché ») le dimanche matin est une activité à part entière : ils prennent le temps de discuter, de choisir tranquillement ce qu'ils vont préparer à midi, de goûter un morceau de fromage, de découvrir une nouvelle variété de pommes...

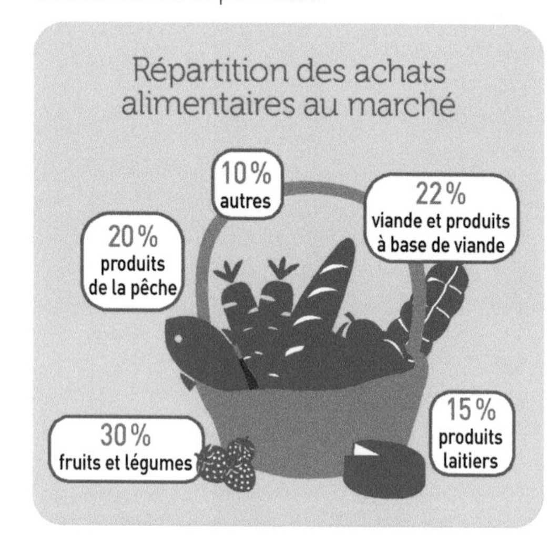

LE SAVIEZ-VOUS ?

En 1110, un marché alimentaire s'installe dans l'actuel 2e arrondissement de Paris. Au cours des années, il se développe et se transforme en marché couvert : ces halles de Paris ont été immortalisées par Émile Zola dans son roman *Le Ventre de Paris*. En 1969, il est transféré à Rungis. C'est aujourd'hui le plus grand marché de produits agroalimentaires frais au monde qui s'adresse aux professionnels, mais qui ouvre ses portes au grand public pour une visite guidée.

Les halles Baltard de Paris (aujourd'hui détruites), au XIXe siècle.

1 Pour quelles raisons les Français vont-ils au marché ?

a. Parce que c'est près de chez eux ○
b. Parce que c'est agréable ○
c. Parce que c'est moins cher ○
d. Parce que c'est convivial ○
e. Parce qu'on peut goûter les produits ○
f. Parce qu'on peut discuter avec les professionnels ○

2 Qui peut-on rencontrer au marché ?

....

....

3 Qu'en dites-vous ? 

- Existe-t-il des marchés de plein air dans votre pays ?
- Si oui, y allez-vous souvent ? Pour quel type d'achats ?

DANS LES COULISSES DE RUNGIS 

Découvrez un reportage sur Rungis, le marché qui ne dort jamais.

Au marché, André Deymonaz, huile sur toile, 2004.

UN MATIN DE PRINTEMPS

❹ **Écoutez les commentaires (audio 7). Que vous inspire le tableau ci-contre ?**

....

....

....

HÉLÈNE, 61 ANS, RETRAITÉE

❺ **Écoutez le témoignage d'Hélène (audio 8) et répondez aux questions.**

a. Où Hélène fait-elle ses courses chaque semaine ?
- Au supermarché ◯
- À l'épicerie ◯
- Dans un camion magasin ◯

b. Pour quelles raisons ?

....

....

....

OÙ FAITES-VOUS VOS COURSES ?

Delphine, 59 ans, professeur des écoles

Je prends mon panier chaque semaine dans une Amap*. Il y a des fruits, des légumes, des œufs, de la viande, du fromage... On est sûr de la qualité des produits, on connaît les gens qui les produisent et on leur assure un revenu. Et quand je vais chercher mon panier, ça me permet aussi de rencontrer d'autres personnes et c'est sympa.

Claire, 40 ans, journaliste

Je fais mes courses dans un supermarché bio. Je fais très attention à l'origine des produits que je mange, surtout depuis que j'ai des enfants. C'est un peu plus cher que dans un supermarché traditionnel, surtout la viande. Du coup, on mange moins de viande et on mange beaucoup plus de légumineuses : des lentilles, des pois chiches, des haricots rouges...

Slimane, 28 ans, fonctionnaire de police

Pour faire mes courses, je reste dans mon quartier. J'ai de la chance, il y a tous les petits commerçants qu'il faut ! Je les connais, ils me connaissent et c'est très agréable. On peut discuter, ils me conseillent si besoin. De toute façon, je leur fais confiance.

* Amap : association pour le maintien d'une agriculture paysanne. Des consommateurs s'engagent à acheter un panier de produits à un agriculteur une fois par semaine.

Parler des produits

1 Replacez les mots et expressions suivants dans la bonne liste.

brillante • du poisson • cuit • rond • un noyau • amer • moelleuse

a. C'est
- un fruit
- un légume
- un produit laitier
- un fruit de mer
- ....
- de la viande
- de la charcuterie

b. C'est
- sucré
- salé
- fade
- ....
- acide
- piquant

c. C'est
- ....
- oblong
- long
- en forme de...

d. Sa chair est
- croquante
- juteuse
- dure ≠ molle
- ....

e. Ça contient
- des pépins
- ....
- des graines
- des arêtes

f. Ça a une peau
- fine ≠ épaisse
- lisse ≠ rugueuse ou grenue
- .... ≠ mate
- unie ≠ mouchetée
- striée

g. Ça se mange
- chaud ≠ froid
- .... ≠ cru
- en salade
- en gratin
- grillé
- avec la peau ≠ ça s'épluche

LANGUE

Pour parler d'un produit, on utilise les articles définis (**le** poisson, **la** viande, **les** légumes), les articles indéfinis (**un** chou, **une** pomme, **des** carottes) ou les articles partitifs (**du** saumon, **de la** crème, **des** rillettes).

LE SAVIEZ-VOUS ?

On achète la plupart des fruits et légumes au poids, mais certains sont vendus à la pièce (le concombre, le melon, la salade, le pamplemousse, etc.) ou en botte (les radis, les poireaux, les carottes, les asperges). Dans une botte, les légumes sont liés ensemble.

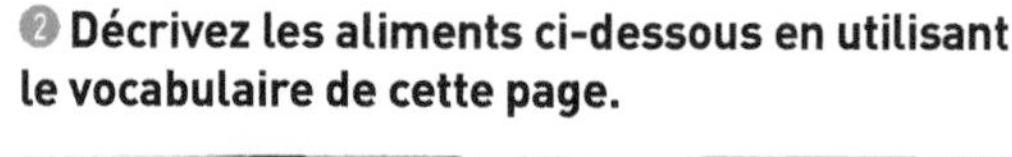

2 Décrivez les aliments ci-dessous en utilisant le vocabulaire de cette page.

③ Identifiez le produit illustré.
Associez ensuite le produit au magasin dans lequel on peut l'acheter.

Qu'est-ce que c'est ?

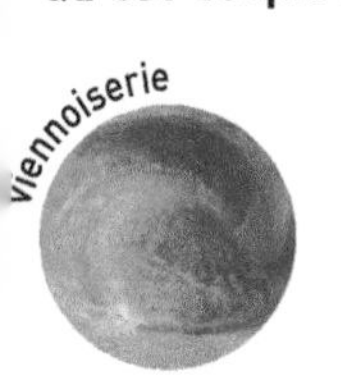

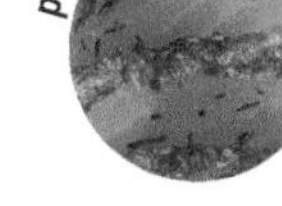

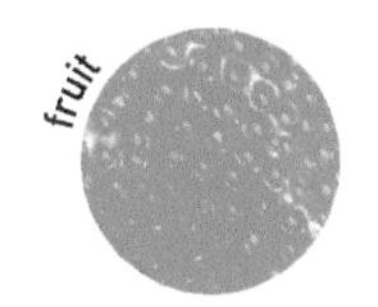

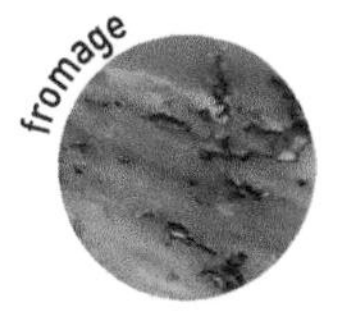

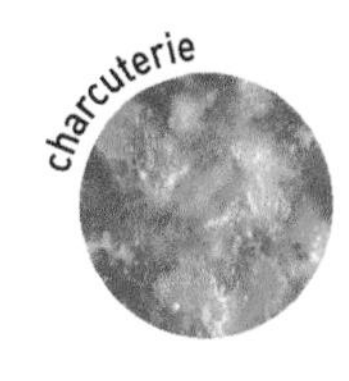

a. un .... **b.** du .... **c.** une .... **d.** du .... **e.** du ....

Dans quel magasin peut-on l'acheter ?

1. À la poissonnerie ◯

2. Chez un primeur ◯

3. Dans une fromagerie, une crémerie ◯

4. Dans une boucherie-charcuterie ◯

5. Dans une boulangerie-pâtisserie ◯

OÙ SOMMES-NOUS ? 

④ Écoutez les phrases (audio 9) et trouvez dans quel magasin elles sont prononcées.

a. ....

b. ....

c. ....

d. ....

e. ....

« C'est facile, d'écosser les petits pois. Une pression du pouce sur la fente de la gousse et elle s'ouvre, docile, offerte. [...] C'est doux ; toutes ces rondeurs contiguës font comme une eau verte tendre, et l'on s'étonne de ne pas avoir les mains mouillées. »

Philippe Delerm (*La première gorgée de bière et autres plaisirs minuscules*, 1997)

La cosse/la gousse

Le petit pois

Les métiers de bouche : de la production à la vente

Yves Camdeborde aux fourneaux dans la BD *Frères de terroirs*.

Yves Camdeborde est un cuisinier français, considéré comme l'un des chefs de file de la cuisine « bistrot » en France. Il est aussi l'auteur de la bande dessinée *Frères de terroirs*, dans laquelle il rend hommage aux producteurs qui lui fournissent les produits de qualité dont il a besoin pour faire une cuisine généreuse et goûteuse : « Moi tout seul, je ne suis rien. [...] C'est comme dans une équipe de rugby, comme dans un orchestre, je n'existe que parce qu'il y a les autres autour de moi. Ce que j'appelle ma chaîne alimentaire, cuisiniers, artisans des métiers de bouche, éleveurs, paysans, pêcheurs, vignerons, producteurs... Ils travaillent avec le souci du goût, la qualité du produit et le respect des sols, des saisons et de l'environnement, ils font partager leur passion pour leur métier. [...] Sans bons producteurs, il n'y a pas de bons produits. »

EXPRESSIONS

« Noyer le poisson » : détourner la conversation pour ne pas aborder un sujet embarrassant.
« C'est une grosse légume » : c'est une personne influente, qui exerce un métier important.

LE SAVIEZ-VOUS ?

L'affinage est une étape essentielle de la vie du fromage. On le place dans un environnement où il pourra s'épanouir gustativement et visuellement. Sa croûte naturelle va se former, les odeurs et les saveurs vont se développer. Il faut surveiller l'évolution du fromage jusqu'à ce qu'il arrive à la maturité souhaitée.

1 Les producteurs : que font-ils ? Complétez les définitions avec les verbes suivants :

affine • cultive • élève (x2) • pêche • produit • récolte • transforme • vend • prépare

Ex. : Le viticulteur élève de la vigne et produit du vin.

a. L'apiculteur .... du miel.

b. L'éleveur élève des animaux pour leur chair ou leur produit (lait, laine) et le boucher .... et .... la viande dans sa boucherie.

c. Le fromager .... le lait ; il fabrique et .... des fromages qu'il vend dans sa fromagerie.

d. Le maraîcher .... et récolte des fruits et des légumes pour le primeur qui les vend.

e. L'ostréiculteur .... des huîtres.

f. Le pêcheur .... du poisson et des crustacés.

LE PORTRAIT

Frédéric Jaunault, MOF primeur

Comment définiriez-vous la profession de fruitier primeur ?
C'est la connaissance des fruits et légumes, l'achat en circuit court (directement du producteur au consommateur) la vente et le conseil en boutique. Ce métier est souvent méconnu, et parfois sous-estimé.

Quelles sont vos différentes activités ?
J'ai inventé le métier de consultant designer en fruits et légumes, qui n'existait pas jusqu'ici. Il unifie beaucoup de professions, le fil conducteur étant toujours le produit. Je transmets mes connaissances lors de formations auprès de restaurateurs, de serveurs, d'élèves de lycées hôteliers... J'explique avec quels outils découper et tailler les légumes, ce que l'on peut en faire et selon quelles méthodes les cuisiner. Je permets aux chefs d'apporter une touche qualitative à leurs produits qui seront ensuite sublimés dans les assiettes qu'ils proposent.

Où achetez-vous vos produits ?
Je me fournis à Rungis, bien entendu, et dans les circuits courts.

Quels conseils pourriez-vous donner pour choisir le bon produit ?
Il est très difficile de répondre à cette question ! Il existe, par exemple, deux cents variétés de mangues qui répondent à des critères de choix différents... Il faut en tout cas choisir les produits au meilleur moment de leurs qualités gustatives. Mais je conseille surtout d'aller au marché, et pas au supermarché.

D'où vous vient cette passion de la sculpture des fruits et légumes ?
Elle est née à la suite de l'opération « Mangez 5 à 10 fruits et légumes frais par jour », en 1996 : il a fallu trouver des moyens d'embellir les fruits et légumes et je me suis alors lancé dans la sculpture, qui est devenue une passion.

LÉGUMES GOURMANDS 

Découvrez trois recettes de Frédéric Jaunault, MOF primeur.

Que signifie pour vous le titre de meilleur ouvrier de France ? Qu'est-ce qu'il a changé dans votre vie ?
Pour moi, c'est le plus beau concours du monde. On y consacre quatre années de sa vie, c'est une recherche personnelle, et c'est un titre que l'on souhaite d'abord pour soi. Cela vous pousse vers l'excellence. Ce qui change, une fois que l'on est MOF, c'est qu'on n'a plus droit à l'erreur. Obtenir ce titre est une fin, certes, mais c'est surtout un début : le métier ne fait que commencer lorsque l'on est MOF.

LE SAVIEZ-VOUS ?

Le titre de meilleur ouvrier de France (MOF) est donné par catégorie de métiers. C'est un concours extrêmement sélectif, entre professionnels, organisé tous les quatre ans par le ministère du Travail, depuis 1924. Il met à l'honneur l'excellence et le savoir-faire d'artisans très qualifiés. Les MOF portent un col bleu-blanc-rouge.

Les légumes en folie d'Alain Passard

INGRÉDIENTS
(POUR 2 PERSONNES)
2 pommes de terre • de la fleur de sel • de l'huile d'olive

USTENSILES
un économe • une mandoline japonaise • un gaufrier • un couteau

TEMPS DE PRÉPARATION : 10 min

TEMPS DE CUISSON : 15 min

LA GAUFRE DE POMMES DE TERRE A LA PATATE !

Épluchez les pommes de terre. Râpez des vermicelles de pommes de terre à l'aide d'une mandoline. Versez quelques gouttes d'huile d'olive dans un gaufrier bien chaud. Répartissez les vermicelles de pommes de terre sur toute la surface. Versez à nouveau quelques gouttes d'huile d'olive sur le dessus. Refermez le gaufrier pour une cuisson de 15 minutes.
Ajoutez de la fleur de sel de Guérande. Avec la pointe d'un couteau, décollez votre gaufre de pommes de terre du gaufrier. Accompagnez-la d'une belle moutarde ou d'une jolie purée de tomate.

INGRÉDIENTS
(POUR 2 PERSONNES)
un gros oignon jaune • une feuille de laurier • de la fleur de sel • du poivre du moulin • 20 cl de crème fleurette • de l'huile d'olive • un jaune d'œuf • 40 g de parmesan râpé

USTENSILES
un couteau • une cuillère • un fouet • un cul-de-poule • une râpe

TEMPS DE PRÉPARATION : 15 min

TEMPS DE CUISSON : 20 min

UNE SOUPE À L'OIGNON AUX PETITS OIGNONS

Coupez le talon de l'oignon à l'aide d'un couteau et coupez l'oignon en tranches pas trop fines. Déposez un copeau de beurre dans une poêle bien chaude et versez l'oignon coupé. Ajoutez une feuille de laurier. Mélangez. Après quelques minutes de cuisson, recouvrez avec de l'eau. Parsemez de fleur de sel et de poivre. Versez de la crème fleurette dans un cul-de-poule et réalisez une crème montée aérienne avec un fouet. Ajoutez quelques traits d'huile d'olive et un jaune d'œuf. Dans un petit contenant (un beurrier, un plat à œuf ou une petite soupière), étalez un lit d'oignons, puis versez quelques centilitres de bouillon. Ajoutez la crème montée et le parmesan râpé. Mettez les contenants sous un gril pour gratiner votre soupe à l'oignon.

INGRÉDIENTS
(POUR 1 PERSONNE)
deux grosses asperges • du beurre salé • de la farine • de l'huile de friture • de la fleur de sel

USTENSILES
une casserole • une poêle • un économe • une essoreuse à salade • une écumoire

TEMPS DE PRÉPARATION : 10 min

TEMPS DE CUISSON : 10 min

LES ASPERGES SE FONT ROULER DANS LA FARINE !

Épluchez les asperges en enlevant la première peau. Retirez leurs talons sur un centimètre. Puis, avec l'économe, prélevez quelques copeaux sur les asperges. Déposez les asperges dans une casserole remplie d'eau portée à ébullition, pendant 3 minutes ; puis faites-les dorer dans une poêle très chaude avec deux belles noix de beurre salé. Séchez les copeaux d'asperge dans une essoreuse. Passez-les dans la farine. Faites frire de l'huile dans une casserole et plongez-y les copeaux d'asperges. Avec une écumoire, retirez-les au bout de trente secondes. Dans une grande assiette, dressez vos deux asperges au centre. Ajoutez les copeaux. Ajoutez de la fleur de sel.

TRUCS ET ASTUCES

Pour comprendre les recettes

Un copeau est un petit morceau de matière détaché par un outil. On peut obtenir un copeau d'asperge ou un copeau de parmesan avec un économe ; un copeau de beurre avec un couteau.

Le talon de l'asperge/le talon de l'oignon : c'est la partie dure, que l'on enlève en la coupant. Il se situe à la base de l'asperge, à l'opposé de la tête (le bourgeon). Dans l'oignon, c'est la partie proche des racines.

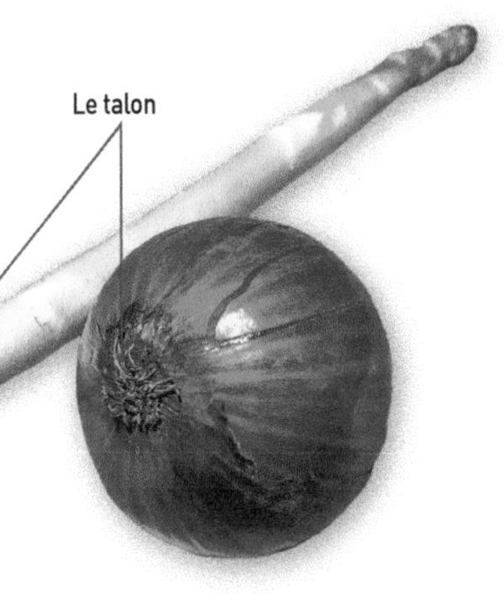

La crème liquide est aussi appelée crème fleurette. Pour faire monter de la crème (incorporer de l'air en fouettant), il faut une crème avec au minimum 35 % de matière grasse.

Comment couper les légumes ?

Chaque type de découpe a un nom différent, en fonction de la forme et de la taille des morceaux obtenus : la brunoise, le mirepoix, la julienne, la paysanne, etc.

LE BONHEUR EST DANS LE POTAGER

C'est ce que dit Alain Passard, chef trois étoiles du restaurant l'*Arpège* à Paris, qui possède trois potagers, dans trois départements différents et qui propose donc, essentiellement, une cuisine potagère. De plus en plus de grands chefs cultivent leurs propres légumes.

LES MODES DE CUISSON DES LÉGUMES

On peut faire **sauter** des épinards au beurre dans une poêle, **cuire** des haricots verts **à l'anglaise** (dans de l'eau bouillante salée), **braiser** des endives (les faire cuire lentement dans peu de liquide, dans un récipient couvert). On peut aussi les cuire **à la vapeur**, **à l'étouffée**...

1 Voyons si vous avez bien compris, en répondant aux questions suivantes :

a. Quel ustensile utilise-t-on pour éplucher les asperges ?

....

b. Quel ustensile utilise-t-on pour couper le talon de l'oignon ?

....

c. Quels ustensiles (citez-en deux) utilise-t-on pour râper (des légumes, du fromage) ? ....

d. Quel ustensile utilise-t-on pour monter de la crème ?

....

EXPRESSIONS

« Avoir la patate » : être en forme, avoir de l'énergie.
« Aux petits oignons » : préparé avec soin.
« Rouler quelqu'un dans la farine » : mentir à quelqu'un pour obtenir quelque chose de cette personne.

Le melon

COMMENT CHOISIR ET CONSERVER UN MELON ?

Les critères de choix du melon occupent les conversations au marché ou chez le primeur quand l'été arrive : les conseils sont nombreux et parfois un peu fantaisistes ! Voici quelques conseils pour sélectionner le meilleur produit.

- Regarder ses signes extérieurs de qualité : sa peau doit être intacte, sa couleur homogène marquée de nervures prononcées ;
- Le soupeser, le toucher : il doit être lourd et son écorce doit être souple ;
- Le sentir : un melon mûr dégage un parfum typique. Plus il est mûr, plus il est odorant. Choisissez-le parfumé, mais pas trop ;
- L'observer : il faut regarder le pédoncule du melon. Il se décolle lorsque le fruit est mûr. On peut observer aussi une craquelure qui signifie que le fruit est riche en sucre.

Tous les sens sont mobilisés pour trouver le bon melon, puisque les commerçants proposent parfois même de le goûter.

Le melon peut se conserver au frais, dans une cave ou dans le bac à légumes du réfrigérateur, mais pas plus de six jours. Il faut l'emballer dans une boîte ou un sachet bien fermé parce que son odeur est forte ! Mais l'idéal est de le conserver entre 8 et 12 °C.

TRUCS ET ASTUCES

La densité : bien dense, le melon doit peser lourd au creux de votre main.

La robe : vert clair, virant au jaune, le melon doit présenter des sillons verts très marqués.

La maturité : une craquelure autour du pédoncule est signe de maturité.

Les arômes : son parfum doit être subtil, pas trop prononcé.

La fraîcheur : son écorce doit être souple, ni dure, ni molle. Le melon est fragile. À manipuler avec douceur.

Nature morte au melon, Claude Monet, 1872 (huile sur toile) fondation Calouste Gulbenkian, Lisbonne.

EXPRESSIONS

« Avoir le melon » : être prétentieux, « avoir la grosse tête ».

LE SAVIEZ-VOUS ?

Le melon n'est pas un fruit, mais un légume de la famille des courgettes ou des citrouilles (cucurbitacées).
Le melon charentais est une variété, pas une origine. Ce type de melon ne provient pas nécessairement du département de la Charente. Il peut être importé d'Espagne, du Maroc ou d'Italie.

FAISONS LE POINT

JACQUES FERRANDEZ
FRÈRES DE TERROIRS
YVES CAMDEBORDE
CARNET DE CROQUEURS
HIVER & PRINTEMPS
RUE DE SÈVRES

FRÈRES DE TERROIRS

Bande dessinée de Jacques Ferrandez et Yves Camdeborde (2015).

❶ **En vous aidant des couvertures (ci-dessus), des éléments de la page 40 et des définitions du verbe croquer (ci-dessous), imaginez ce que contient la bande dessinée *Frères de terroirs*.**

CROQUER (v. tr.) : 1. Broyer entre ses dents avec un bruit sec. **2.** Planter ses dents dans quelque chose. **3.** Dessiner rapidement, en quelques traits, ce qu'on voit.

JEU DE RÔLES

❷ **Mettez-vous par deux et présentez un fruit ou un légume de votre choix à votre partenaire.**

- **A** choisit un fruit ou un légume et le décrit (aspect, parfum, texture, goût, taille, utilisation...) à **B** qui doit le reconnaître et le nommer.
- Une fois que **B** a trouvé, inversez les rôles.

TESTONS NOS CONNAISSANCES

❸ **Que signifie ce logo ?**

....

❹ **Vrai ou faux ?**

Les Français ne vont pas au marché parce que c'est loin de chez eux. V◯ F◯

❺ **Qu'est-ce qu'un circuit court ?**

....

....

❻ **Citez deux métiers de bouche.**

....

....

❼ **Que signifie l'expression « aux petits oignons » ?**

....

....

❽ **Citez deux ingrédients de la recette de la soupe à l'oignon (à part l'oignon).**

....

❾ **Que signifie MOF ?**

....

❿ **Le melon est-il un fruit ou un légume ?**

....

DÉCOUVRIR

Le calisson de la chocolaterie de Puyricard.

La choucroute garnie.

Le Paris-Brest.

Le cassoulet.

La France de la gastronomie

UN PATRIMOINE GASTRONOMIQUE VARIÉ

La France métropolitaine est située dans une zone tempérée, à égale distance du pôle Nord et de l'équateur ; les saisons sont contrastées et plusieurs climats coexistent, ainsi que plusieurs types de paysages (montagnes, côtes, plaines) qui déterminent des types de cultures. Cette variété de milieux existe dans d'autres pays, mais on peut dire que la France a été pionnière pour mettre en valeur ses traditions régionales et s'en servir pour la promotion du pays. En France peut-être plus qu'ailleurs, on valorise la diversité des cultures culinaires et la vitalité des patrimoines gastronomiques. Les Français ont un grand intérêt pour la nourriture ; manger est un acte culturel. Chacun est attaché à la cuisine de sa région d'origine et aime découvrir et manger les spécialités locales quand il voyage.

C'est Grimod de la Reynière qui, au début du XIXe siècle, est le premier promoteur du tourisme gourmand et le premier à parler de patrimoine gastronomique. Son *Almanach des Gourmands* associe la découverte d'un lieu à celle de sa gastronomie. Il dessine une géographie des meilleures productions gourmandes du territoire et de ses hauts lieux gastronomiques. La première carte gastronomique de la France sera réalisée en 1809 à partir de son inventaire des productions alimentaires.

« La cuisine française est un cours d'histoire et de géographie. Elle est dessinée par les paysages, colorée par la saison, puis révélée par la main de l'homme. »

Périco Légasse (*Dictionnaire impertinent de la gastronomie*, 2012)

UNE VIEILLE HISTOIRE 

Découvrez tous les détails de la *Carte gastronomique de la France* dessinée en 1809 par Jean-François Tourcaty.

365 FROMAGES ! 

Jouez à trouver l'origine des fromages français grâce à une carte interactive.

1 Vrai ou faux ?

a. La France a une grande variété de milieux géographiques. V◯ F◯

b. Les Français ne sont pas curieux de la cuisine des autres régions que la leur. V◯ F◯

c. Grimod de la Reynière est un pionnier du tourisme gourmand. V◯ F◯

2 Trouvez dans le texte le contraire des mots suivants :

a. similaires : .... b. uniformité : ....

SPÉCIALITÉS RÉGIONALES 

❸ Écoutez les témoignages (audio 10) et replacez les spécialités manquantes dans les encadrés.

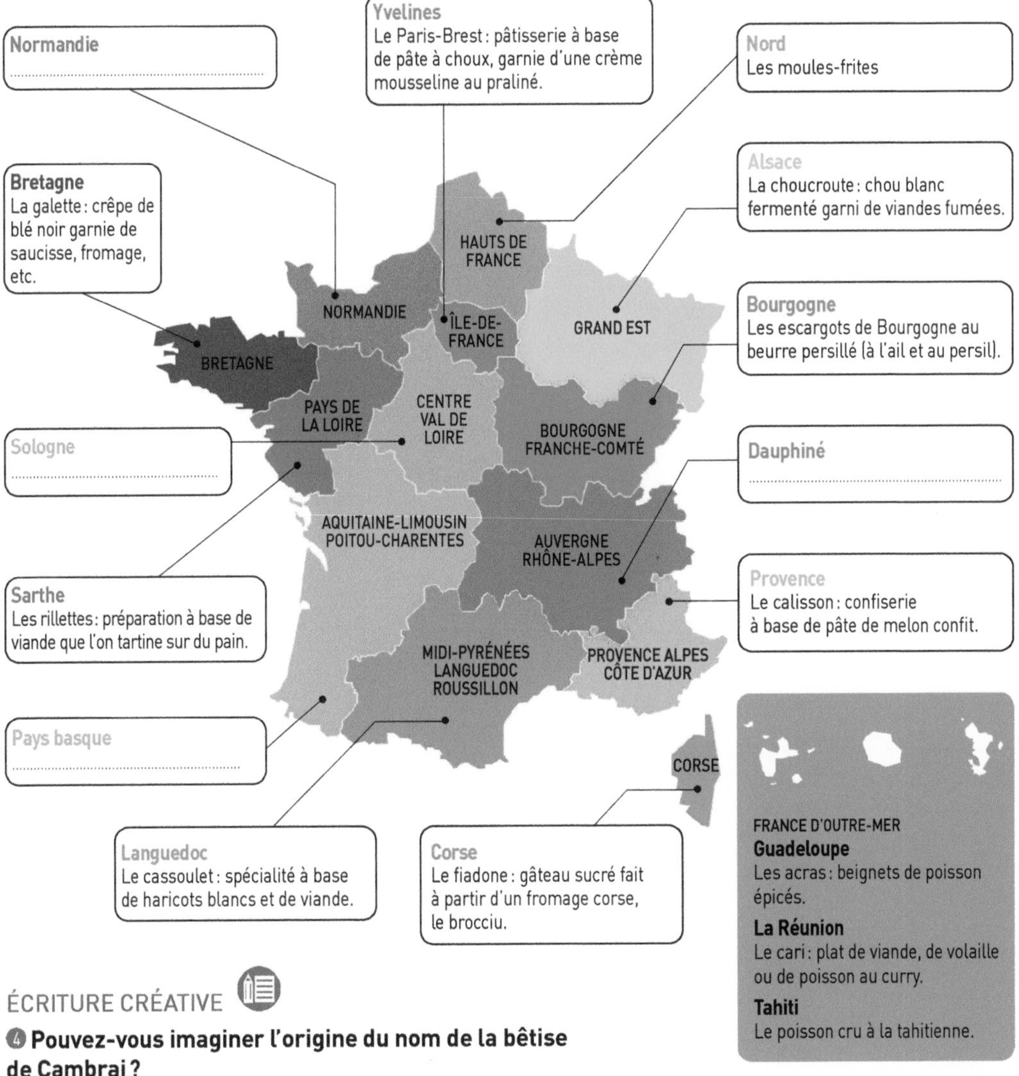

ÉCRITURE CRÉATIVE

❹ Pouvez-vous imaginer l'origine du nom de la bêtise de Cambrai ?

Il existe de nombreuses confiseries locales : les boulets de Montauban (noisettes grillées recouvertes de chocolat noir) qui ont l'aspect de boulets de canon ; la violette de Toulouse, fabriquée à base de fleurs de violette... Qu'en est-il de la bêtise de Cambrai ? À vous d'imaginer.

❺ Qu'en dites-vous ? 

- Quel aliment produit-on plus particulièrement dans votre région ? Cuisinez-vous cet aliment ?
- Existe-t-il une spécialité culinaire dans votre région (un plat emblématique) ? Connaissez-vous sa recette ? Savez-vous la préparer ? Connaissez-vous l'histoire de ce plat ?
- La cuisine est-elle très différente au nord et au sud de votre pays ?

DES BONBONS POUR TOUS LES GOÛTS ! 

Découvrez la carte et l'histoire des confiseries régionales.

De haut en bas :
un berlingot de Nantes,
un négus de Nevers,
une bêtise de Cambrai,
une dragée de Verdun,
une violette de Toulouse.

Un patrimoine festif

PARTOUT EN FRANCE, LA GASTRONOMIE SE FÊTE !

Dans toutes les régions de France, parfois depuis très longtemps (plus de 550 ans pour la Foire au jambon de Bayonne), ont lieu des événements festifs autour de la gastronomie. Ils célèbrent un produit, un plat local ou une cuisine régionale. C'est l'occasion pour le consommateur de découvrir des savoir-faire, de rencontrer des artisans des métiers de bouche, de déguster et d'acheter des produits, d'assister à des concours (la plus grosse tarte, le meilleur cassoulet, etc.) ou des manifestations artistiques et pédagogiques (concerts, ateliers, expositions, conférences, etc.) dans une ambiance détendue.

En 2011, le ministère de l'Économie lance la Fête de la gastronomie suite à l'inscription du repas gastronomique français sur la liste du patrimoine culturel immatériel de l'humanité par l'UNESCO. Cette manifestation dure trois jours et a lieu partout en France mais aussi à l'étranger, le quatrième week-end de septembre.

C'est un rendez-vous convivial où les professionnels (chefs étoilés, artisans, producteurs...) s'appliquent à partager leurs talents et leurs savoir-faire, à sensibiliser au choix des produits et à la diversité des terroirs français. Banquets, dégustations, pique-niques, animations... Il y en a pour tous les goûts !

« La gastronomie est souvent associée aux grands chefs, aux restaurants étoilés, c'est-à-dire à l'excellence. Elle est aussi un patrimoine à part entière et doit être accessible à tous. C'est le sens que j'ai voulu donner à cette Fête de la gastronomie. »

Martine Pinville, secrétaire d'État auprès du ministre de l'Économie

❶ Choisissez une des affiches ci-dessus et expliquez pourquoi vous aimeriez participer à une telle fête.

....

....

....

❷ Qu'en dites-vous ? 

- Existe-t-il des fêtes de la gastronomie dans votre ville, votre région, votre pays ?

LES CONFRÉRIES GASTRONOMIQUES

Les confréries sont des associations qui rassemblent des personnes qui veulent préserver et transmettre une tradition. Elles existent depuis le XIIIe siècle et elles sont dirigées par un « grand maître ». Les membres des confréries s'appellent des chevaliers. Pour les cérémonies, les chevaliers portent une toge (une robe) aux couleurs de la confrérie, un chapeau, une médaille autour du cou (au bout d'un ruban) et des gants.
La confrérie de la coquille Saint-Jacques, par exemple, fait vivre les traditions et la culture des Côtes d'Armor, met en valeur les produits de la mer et particulièrement le fameux coquillage lors d'événements culinaires. Elle fournit un label aux professionnels des métiers de bouche qui le souhaitent.

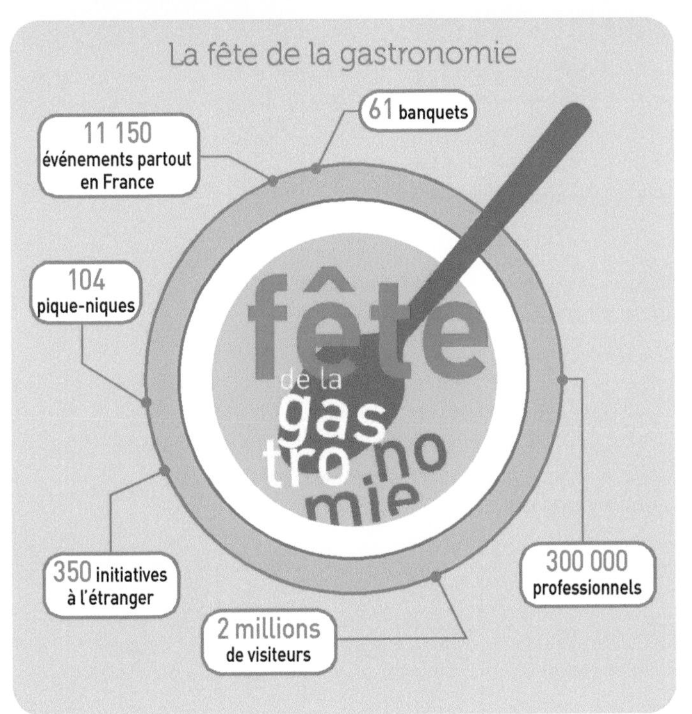

LANGUE

On dit « cerise **en** fête » ; « fête, salon, festival **de** la cerise » mais « foire, marché **à** la cerise »
une fête **de** - une foire **à** - un salon **de** - un festival **de** - un marché **à**.

❸ Qu'en dites-vous ?

- Et vous, pour quel produit pourriez-vous créer une confrérie ? Comment s'appellerait-elle ?
- Existe-t-il l'équivalent des confréries dans votre pays ?

LA REINE DES SABLES

Découvrez la confrérie des chevaliers de la coquille Saint-Jacques, qui défendent la « reine des sables » de la baie de Saint-Brieuc.

Les Cités internationales de la gastronomie

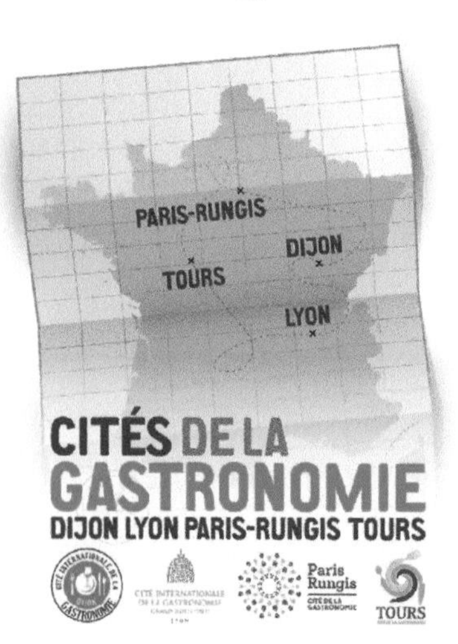

« La richesse de notre alimentation et, au-delà, notre gastronomie, nous la devons à la diversité de nos agricultures ; à la passion de ces hommes et femmes qui produisent, transforment et préparent des produits de qualité. »

Stéphane Le Foll, ministre de l'Agriculture

DES VILLES GOURMANDES

Découvrez les missions des cités de la gastronomie.

Le projet des architectes Anthony Béchu et Perrot-Richard retenu pour la Cité de la gastronomie de Dijon.

Une cité internationale de la gastronomie est un site culturel à vocation touristique dont les activités sont dédiées aux patrimoines alimentaires de France et du monde. C'est l'un des engagements que l'État français doit mettre en place à la suite de l'inscription par l'UNESCO en 2010 du repas gastronomique des Français au patrimoine culturel immatériel de l'humanité. Quatre sites ont été choisis et sont en cours de réalisation : Dijon, Lyon, Paris-Rungis et Tours.

La création de ces cités illustre l'attachement de la France à la promotion d'un élément essentiel de sa culture : le repas gastronomique. Défini comme « une pratique sociale coutumière destinée à célébrer les moments les plus importants de la vie des individus et des groupes », symbole du bien-être ensemble autour de la table, il constitue le socle culturel commun de ces cités de la Gastronomie.

Chaque cité sera un lieu d'effervescence unique, associant des expériences pédagogiques et ludiques.

❶ Selon vous, quel titre parmi les suivants conviendrait le mieux au texte ?

a. Les Cités de la gastronomie : miroir des patrimoines et des savoir-faire culinaires du monde. ◯
b. Des cités à la gloire du repas gastronomique français. ◯
c. Visitez les cités de la gastronomie pour découvrir la gastronomie. ◯

Expliquez votre choix, puis proposez un autre titre de votre création.

....

LA CITÉ DE LA GASTRONOMIE DE DIJON 

❷ Écoutez le témoignage de Nicolas (audio 11) et relevez les expressions qui indiquent qu'il est favorable à ce projet.

....

....

LE PORTRAIT

Philippe Grégoire, éleveur et restaurateur à Besse, en Auvergne

Philippe Grégoire, vous êtes à la fois éleveur et restaurateur. Qu'est-ce qui vous a amené à cette double activité ?

Je travaillais à la ferme avec mes parents, mais j'ai dû arrêter suite à un grave accident. Mon épouse, à l'époque, travaillait dans la restauration ; j'ai donc découvert ce métier. Nous avons acheté un premier restaurant, puis un deuxième. Et lorsque mes parents ont été à la retraite, j'ai décidé de reprendre la ferme !

Pourquoi avez-vous choisi d'élever des vaches de race Salers ?

Parce que c'est la race locale du Massif central, à la fois docile, rustique et robuste ; elles sont rarement malades et vivent longtemps. Ce sont des vaches qui ont un vêlage facile et ce sont les meilleures mères qui existent. Il y a aussi le goût de la viande, une viande persillée, qui est important pour moi qui suis dans la restauration. Mais c'est surtout la facilité et le moindre coût de l'élevage des Salers qui m'ont décidé. C'est aussi la race que je préfère parce qu'elles sont belles !

Comment reconnaît-on une Salers ?

À sa couleur et à la forme du cornage : une vraie Salers a les cornes en forme de lyre.

Quels fromages fait-on avec le lait des vaches Salers ?

Il y a encore quelques élevages appelés « tradition Salers », dans le Cantal et le Puy-de-Dôme, qui fabriquent du fromage avec du lait de Salers : du saint-nectaire surtout, mais aussi du cantal. L'avantage du lait de Salers, c'est qu'il est plus riche que le lait des autres vaches.

Quelle influence a le terroir sur la viande et le lait ?

C'est un terroir très riche ici ; au niveau de l'herbage, la végétation est très variée ; on a beaucoup d'herbes de montagne qui sont très saines. Ça se répercute sur le goût de la viande comme au niveau de la qualité du lait.

DÉLICIEUSES RECETTES AU FROMAGE

Découvrez d'autres recettes à base de fromages.

UN PLAT EMBLÉMATIQUE DU MASSIF CENTRAL

L'aligot est fait d'une purée de pommes de terre Bintje, de crème pour une texture onctueuse, et d'un bon tiers de tomme fraîche au lait cru, fabriquée par les fromagers de Laguiole. Il se déguste chaud, accompagné d'une saucisse de Toulouse ou d'une belle pièce de bœuf.

LE SAVIEZ-VOUS ?

Dans de nombreuses régions françaises, il existe des restaurants dans lesquels on est assuré de pouvoir goûter des plats et vins régionaux : les winstubs alsaciennes, les bouchons lyonnais, les crêperies bretonnes...

D'où ça vient ?

LE SAVIEZ-VOUS ?

Après la Révolution, la France est découpée en départements de tailles comparables ; chaque habitant doit pouvoir se rendre en une journée à cheval dans la ville où se trouve le préfet (représentant de l'État).

Presque tous les départements portent le nom d'un fleuve ou d'une rivière qui les traverse, ou d'une caractéristique géographique.

Ils prennent le genre grammatical du cours d'eau (la Loire), du massif (le Jura), du mont (le Cantal), du point géographique (le Finistère, le Nord), du littoral (la Manche), qui leur donne leur nom.

L'ORIGINE DES PLATS

Quand un produit ou un plat prend le nom de son lieu d'origine :

- on peut lier le nom du produit à la ville à l'aide de l'article *de* ou *du* : le biscuit rose **de** Reims, le jambon **de** Bayonne, la saucisse **de** Toulouse, les rillettes **du** Mans, le broyé **du** Poitou ;
- on peut utiliser l'adjectif dérivé du nom propre de la ville ou de la région :
Paris > parisien(ne) ;
Marseille > marseillais(e) ;
Lille > lillois(e) ;
Toulouse > toulousain(e) ;
Chamonix > chamoniard(e).

Quelques constructions sont plus surprenantes :
Bourges > béruyer/ère ;
Saint-Étienne > stéphanois(e) ;
Béziers > bitérois(e)

1 Retrouvez la ville ou la région d'origine de ces spécialités.

la salade niçoise •	• les Antilles
les pommes parisiennes •	• le Dauphiné
le pâté lorrain et la quiche lorraine •	• Sarlat
le boudin antillais •	• la Bourgogne
les pommes de terre sarladaises •	• Lyon
le gratin dauphinois •	• Nice
le gâteau périgourdin •	• Paris
la salade lyonnaise •	• le Périgord
la fondue bourguignonne •	• la Lorraine

Des produits qui sont aussi des villages

LOCALISATION

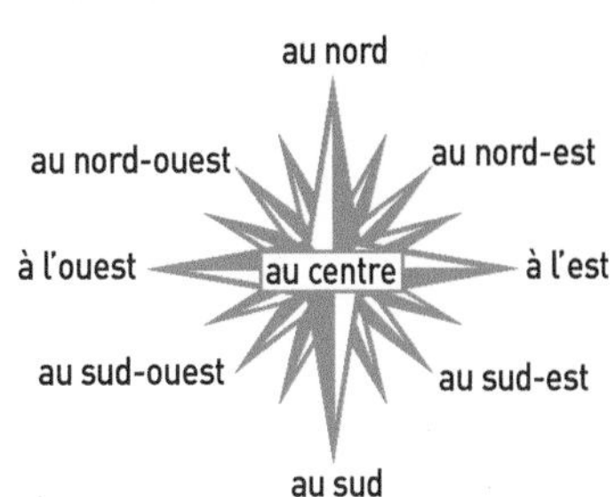

❷ Complétez les phrases avec les expressions de lieu suivantes :

au bord de la • au pied du • au sud-est de la • dans la vallée du • sur la côte d'

a. Marseille est située .... France, au bord de la mer, sur la côte méditerranéenne. On y mange de la bouillabaisse.

b. Chamonix est située .... Mont-Blanc, à la frontière de la Suisse et de l'Italie.

c. Avignon est située .... Rhône, au bord du fleuve. Cette ville est célèbre pour son pont.

d. Calais est située au nord de la France, ... Opale.

e. Toulouse est située au sud-ouest de la France, ... Garonne. On l'appelle souvent la « ville rose ».

Le mont Blanc.

COMMENT ON DIT CHEZ VOUS ? 

❸ Écoutez les phrases (audio 12) et notez l'équivalent régional des mots suivants :

a. une endive : .... (dans le nord de la France et en Belgique)

b. une betterave : .... (en Savoie et en Suisse)

c. une myrtille : .... (au Québec)

d. un pamplemousse : .... (en Guyane)

e. du sucre glace : .... (en Belgique)

f. un pain au chocolat : .... (dans le sud-ouest de la France et au Québec)

LE SAVIEZ-VOUS ?

On appelle la France métropolitaine l'« Hexagone » (car sa forme rappelle un hexagone) et la Corse, l'« Île de beauté ».

La bouillabaisse de Marseille

INGRÉDIENTS
(POUR 8 PERSONNES)

Pour la bouillabaisse
2 kg de poissons variés entiers
2 oignons
3 gousses d'ail
3 branches de céleri
10 cl d'huile d'olive
2 poireaux
3 tomates
1 bulbe de fenouil
1 bouquet garni
1 baguette de pain
1 pincée de safran
du sel
du poivre blanc moulu

Pour la rouille
2 pommes de terre cuites avec leur peau
3 jaunes d'œufs
25 cl d'huile d'olive
2 cuillères à café d'ail pilé
une pincée de safran
du sel et poivre

USTENSILES
Une marmite
Un tamis
Un fouet

TEMPS DE PRÉPARATION
1 h

TEMPS DE CUISSON
45 min

PRÉPARATION DE LA BOUILLABAISSE

Écaillez et étêtez les poissons. Coupez-les en tronçons. Conservez les têtes et les parures.
Pelez et hachez un oignon et une gousse d'ail. Faites revenir l'ail et l'oignon dans une marmite avec 10 cl d'huile d'olive. Salez et poivrez.
Ajoutez les branches de céleri et les poireaux tronçonnés, ainsi que les têtes et les parures des poissons.
Couvrez d'eau et faites bouillonner pendant une vingtaine de minutes.
Filtrez le contenu de la marmite dans un tamis pour obtenir le bouillon de cuisson de la bouillabaisse. Coupez les tomates en quartiers.
Dans une grande marmite, faites revenir un oignon, deux gousses d'ail et le fenouil finement hachés dans un peu d'huile d'olive. Mouillez avec la totalité du bouillon et ajoutez les tomates, le bouquet garni et portez à ébullition.
Plongez-y les poissons, en terminant par le saint-pierre et le merlan qui ont une chair moins ferme et plus délicate.
Ajoutez le safran et faites bouillir sur feu vif pendant 15 minutes environ.

PRÉPARATION DE LA ROUILLE

Épluchez puis réduisez les pommes de terre en purée, ajoutez les jaunes d'œuf, l'ail, le safran, le sel et le poivre. À l'aide d'un fouet, ajoutez peu à peu l'huile d'olive dans ce mélange.

Le vieux port de Marseille, l'ancienne Massalia.

TRUCS ET ASTUCES

Comment servir la bouillabaisse ?
On peut servir le bouillon et le poisson à part ou les deux dans la même assiette creuse. La bouillabaisse est accompagnée de rouille et de croûtons frottés à l'ail. On étale la rouille sur les croûtons que l'on peut déposer au fond de l'assiette et on verse ensuite le bouillon par dessus.

Quels poissons choisir ?
Il existe, à Marseille, une « charte de la bouillabaisse ». Elle détaille les ingrédients obligatoires de la recette et précise qu'il faut découper le poisson devant les convives. Les restaurateurs qui veulent garder le goût authentique de ce plat suivent cette charte. Elle détermine, en particulier, les variétés de poissons qu'il faut choisir : au minimum quatre espèces parmi les suivantes (à adapter en fonction des arrivages) : la rascasse, la rascasse blanche, la vive araignée, le rouget grondin, le saint-pierre, la baudroie, le congre, le chapon.

LE SAVIEZ-VOUS ?

La bouillabaisse est un plat originaire de la Grèce antique. Au VIe siècle avant J.-C., les Grecs fondent Massalia, devenue Marseille, et apportent le ragoût de poissons préparé à partir des restes de la pêche. D'où vient son nom ? On attribue à l'écrivain Frédéric Mistral l'interprétation du provençal *« boui abaisso »* traduit par « quand ça bout, il faut baisser » (sous-entendu : le feu). Au sens figuré, une bouillabaisse est un mélange de personnes, d'idées ou de choses très différentes.

LANGUE

« Écailler » : retirer les écailles d'un poisson.
« Étêter » : retirer la tête d'un poisson, d'un crustacé…
« Éplucher » : retirer la peau d'un fruit ou d'un légume.
« Épépiner » : retirer les pépins d'un fruit.

Le sainte-maure de Touraine AOP 

Le sainte-maure de Touraine est un fromage au lait de chèvre frais, entier et cru. Il est fabriqué exclusivement en Touraine dans la petite ville dont il porte le nom, située au sud de Tours. Il est affiné pendant dix à trente jours et il pèse au minimum 250 g.

Comment le reconnaître ?

Il a la forme d'une bûche tronconique* et sa croûte est fine, gris bleuté et couverte d'un léger duvet. Il a une particularité : une paille de seigle gravée le traverse en son milieu, ce qui permet au fromage de se tenir et de voyager. Sur cette paille, on peut lire le nom du fromage et le numéro d'identification du fabricant fromager. La paille de seigle est donc aussi un gage de qualité et d'authenticité.

* tronconique : plus large d'un côté que de l'autre.

« Un dessert sans fromage est une belle à laquelle il manque un œil. »

Brillat-Savarin

LE SAVIEZ-VOUS ?

Il existe des règles pour couper correctement le fromage en fonction de sa forme. Cela peut vous paraître compliqué, mais vous ne pourrez pas vous tromper si vous appliquez le principe suivant : il faut que chaque convive ait un morceau qui présente à la fois de la croûte (l'extérieur plus sec du fromage) et du cœur (qui, lui, est bien moelleux).

SAVEZ-VOUS COUPER LE FROMAGE ?

Découvrez avec humour l'art français de couper le fromage.

1

2

3

4

5

LA FABRICATION DU SAINTE-MAURE DE TOURAINE

1 Associez chaque photo avec l'étape de fabrication qui correspond.

a. le paillage : on introduit un brin de paille dans le fromage encore frais. On le saupoudre de sel cendré et on le laisse reposer pendant 48 heures. Photo ◯

b. l'affinage : étape finale au cours de laquelle la pâte se transforme et acquiert sa texture, ses arômes et ses saveurs. La température et l'humidité y jouent des rôles essentiels. Photo ◯

c. le moulage : à l'aide d'une grosse louche, on prend le caillé pour le mettre dans les moules qui vont donner sa forme au fromage. Photo ◯

d. l'égouttage : les moules sont suspendus verticalement, permettant au petit lait de s'égoutter, afin de séparer le liquide du solide. Photo ◯

e. le démoulage : 48 heures après le début de l'égouttage, on démoule les fromages. Photo ◯

FAISONS LE POINT

ASTÉRIX®-OBÉLIX® / © 2016 LES ÉDITIONS ALBERT RENÉ/GOSCINNY - UDERZO

LE TOUR DE GAULE D'ASTÉRIX

Bande dessinée de René Goscinny et Albert Uderzo (1965). Ce livre est le cinquième album de la série Astérix le Gaulois, traduite en 111 langues et vendue à plus de 365 millions d'exemplaires dans le monde. Dans cet album, Astérix lance un défi à Jules César qui avait construit une palissade autour de son village : avec son ami Obélix, il franchira la palissade, fera le tour de la Gaule et rapportera, comme preuves, des spécialités gastronomiques des villes gauloises visitées.

❶ Imaginez le tour de Gaule d'Astérix en présentant quelques spécialités qu'il rapporte de son voyage. D'où viennent-elles ? Décrivez-les, expliquez leur origine, leur utilisation, etc.

❷ Si vous deviez faire le tour de votre pays pour en rapporter les spécialités gastronomiques, où iriez-vous et que rapporteriez-vous ?

JEU DE RÔLES

Vous invitez un(e) ami(e) à vous accompagner à un événement de la fête de la gastronomie (précisez lequel).

- Il/Elle vous demande des détails (date, lieu, activités).
- Il/Elle accepte ou refuse (en expliquant pourquoi).

TESTONS NOS CONNAISSANCES

❸ Vrai ou faux ?

a. Le sainte-maure de Touraine est un fromage fait à base de lait de chèvre. V ◯ F ◯

b. Il n'existe pas de règles de découpe du fromage. V ◯ F ◯

c. L'alimentation de la vache a une influence sur le goût de la viande et du lait. V ◯ F ◯

❹ De quelle ville du sud de la France est originaire la bouillabaisse ?

....

❺ On compare la France à une figure géométrique. Laquelle ?

....

❻ À quelle ville associe-t-on la salade niçoise ?

....

❼ Quelle est la règle à respecter pour couper le fromage ?

....

❽ Citez deux spécialités culinaires régionales françaises et indiquez leur région d'origine.

....

....

❾ Qu'est-ce qu'une cité de la gastronomie ?

....

....

❿ Qu'est-ce qu'une confrérie ?

....

....

5 • BOIRE ET MANGER

DÉCOUVRIR

La vigne et le vin en France

Le vignoble bordelais.

« Un grand vin n'est pas l'ouvrage d'un seul homme, il est le résultat d'une constante et raffinée tradition. Il y a plus de mille années d'histoire dans un vieux flacon. »

Paul Claudel

LANGUE

ON DIT : la consommation **augmente** ; **baisse** ; **diminue** ; **se stabilise**.
ON NE DIT PAS : la consommation hausse.
ON DIT : **être en hausse** (en augmentation) ; **être en baisse** (en diminution) ; **être stable**.

UNE LONGUE HISTOIRE

L'histoire de la vigne est liée à celle des civilisations humaines. Depuis l'Antiquité, la culture de la vigne a accompagné le développement du commerce. Le vin est tour à tour symbole de puissance, de richesse et de convivialité. Pays de la civilisation du vin et patrie de la gastronomie, la France a inventé au fil du temps tout un art de vivre autour du vin.

1 Qu'en dites-vous ? 

- Existe-t-il des régions viticoles dans votre pays ?
- Quelles sont les régions viticoles françaises que vous connaissez ?

LE VIN ET MOI

2 Écoutez le témoignage (audio 13) et dites si la personne interrogée consomme du vin occasionnellement, régulièrement ou pas du tout.

3 Qu'en dites-vous ? 

- Quel type de consommateur êtes-vous : régulier ou occasionnel ?
- À quelle occasion buvez-vous du vin ?

600 av. J.-C.	XIIe siècle	XIVe siècle	XVIIe siècle
Le premier vignoble français est planté à Marseille.	Les moines cisterciens apprennent à sélectionner la vigne et les meilleurs sols.	Création par les cisterciens du premier domaine viticole : le Clos-Vougeot, en Bourgogne.	Invention de la bouteille en verre. Le château Haut-Brion, à Bordeaux, est le premier à les utiliser.

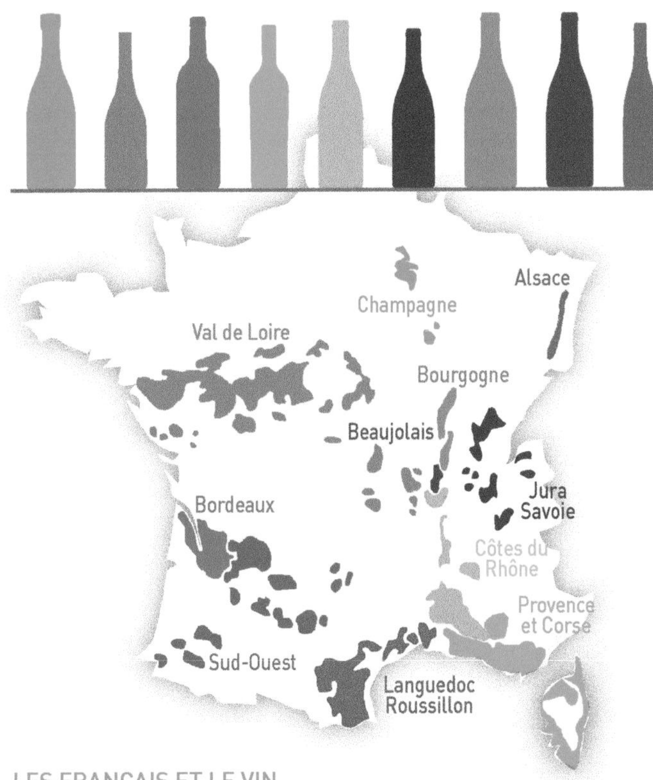

« Le vin est senti par la nation française comme un bien qui lui est propre, au même titre que ses 360 espèces de fromages et sa culture. »
Roland Barthes (*Mythologies*, 1957)

LE SAVIEZ-VOUS ?

La France comporte de nombreuses régions viticoles. La région de Bordeaux, la Bourgogne et la Champagne sont les plus connues, mais on trouve d'excellents vins partout sur le territoire. Chaque région a sa bouteille. Ainsi, une bouteille de blanc d'Alsace ne ressemble pas à une bouteille de rosé de Provence.

LES FRANÇAIS ET LE VIN

Les Français sont attachés au vin ; il fait partie de leur culture et représente pour eux le plaisir, le partage et la convivialité : ce qu'on appelle l'art de vivre « à la française ». Le vin fait partie du quotidien des Français, mais il n'est plus, comme au Moyen Âge, aussi essentiel que le pain dans l'alimentation. La consommation de vin diminue régulièrement depuis les années soixante ; elle a été divisée par trois en cinquante ans. Une enquête récente révèle qu'il y a une augmentation du nombre de consommateurs de vin, mais que leur consommation est plus occasionnelle. Le vin, qui était autrefois une composante du repas, est devenu une boisson culturelle, consommée à table mais aussi à l'apéritif, pour les grandes occasions, mais aussi de façon plus décontractée, entre amis.

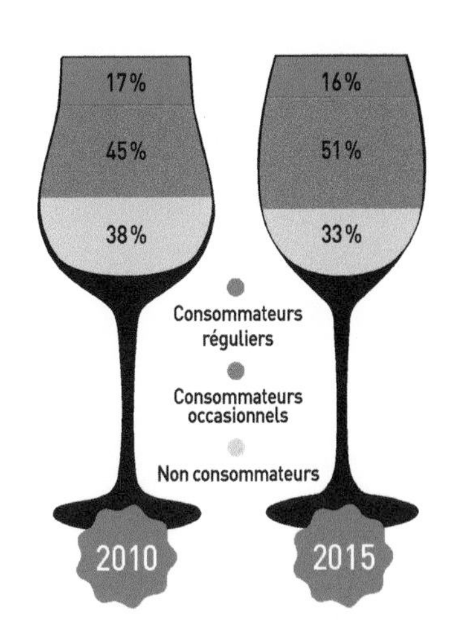

4 Vrai ou faux ?

a. Pour les Français, le vin est aussi essentiel que le pain dans l'alimentation. **V**◯ **F**◯

b. L'augmentation du nombre de consommateurs entraîne l'augmentation de la consommation. **V**◯ **F**◯

c. Les Français boivent du vin en mangeant, exclusivement. **V**◯ **F**◯

d. De plus en plus de Français s'intéressent au vin et à sa production. **V**◯ **F**◯

1670 – En Champagne, le moine Dom Pérignon découvre le principe des vins effervescents.

1861 – Le phylloxera (un insecte nuisible) ravage le vignoble français.

1866 – Louis Pasteur travaille sur la fermentation et invente l'œnologie moderne.

1935 – Création des premières appellations d'origine contrôlées (AOC).

Les accords mets et vins

COMMENT TROUVER L'ACCORD PARFAIT ?

La dégustation des vins et le plaisir de la gastronomie ont donné naissance à deux cultures : celle du nord, qui privilégie la dégustation du vin en dehors des repas, et la culture latine, qui associe le vin aux plaisirs de la table. J'appartiens pour ma part au monde de la Méditerranée.

Organiser un repas pour des amis implique de penser le repas à l'avance : quels mets allons-nous servir ? Comment choisir les vins qui vont les accompagner ? Quel que soit le budget dont on dispose, les possibilités sont nombreuses.

On peut se tourner vers des alliances « historiques » : un produit et un vin (un cidre, une bière) élaborés sur le même terroir ont évolué ensemble dans l'Histoire, et s'accordent souvent très bien.

Si l'on recherche un accord plus créatif, il faut tenir compte des parfums, de la structure, de la matière et de la densité du vin et du plat, qui déterminent la manière dont nous profitons d'une bouchée. Certains mariages sont dangereux : un vin très raffiné et discret s'effacera devant un plat trop aromatique. Les parfums, combinés ensemble, ne doivent pas se heurter, ni anesthésier le palais par leur puissance ; les saveurs (acide, amer, sucré, etc.) doivent se compléter sans en faire trop ; les textures (fondantes, serrées, fermes ou fluides) doivent se respecter mutuellement.

Un premier type d'accord s'apparente à un couple fusionnel : on retrouve dans le plat et dans le vin les mêmes arômes, qui se répondent et se valorisent. Un deuxième genre de mariage repose sur l'union des contraires. On cherche alors à mettre en valeur les différences en travaillant leur complémentarité. Quant à la question du choix d'un blanc ou d'un rouge, on peut, sans grands risques, réaliser un accord... de couleurs : l'harmonie réalisée ainsi n'est pas toujours parfaite, mais elle évite les erreurs les plus graves.

Quelle que soit la méthode choisie, l'essentiel reste de ne pas perdre de vue l'objectif : réaliser une combinaison qui, par le biais des parfums et des matières fusionnés, créera une émotion forte et deviendra, à table, source de plaisir.

D'après Philippe Faure-Brac (*Saveurs complices*, 2002)

LANGUE

Les noms qui finissent par les suffixes « age » ou « ment » (l'assemblage, le rapprochement) sont toujours masculins ; ceux qui finissent par les suffixes « tion » ou « ance » (l'association, l'alliance) sont toujours féminins.

1 Parmi les mots ci-dessous qui expriment l'idée d'accord, soulignez ceux qui sont dans le texte.

un accompagnement – accompagner • un accord – (s')accorder • une alliance – allier • un assemblage – assembler • une association – associer • une combinaison - combiner • un couple – coupler • une fusion – fusionner • un mariage – marier • un rapprochement – rapprocher • une réunion – réunir • une union – unir

ET L'EAU DANS TOUT ÇA ?

L'eau a pour fonction de désaltérer, de rafraîchir et de nettoyer les papilles. Eau du robinet, eau de source, eau minérale plate ou gazeuse, il en existe de nombreuses variétés, avec chacune ses qualités. Lors d'un repas accompagné de vin, on choisira une eau discrète, mais s'il n'y a pas de vin à table, on boira une eau de caractère. Avec certains mets difficiles à accorder avec du vin, on boit de l'eau : l'ail, les anchois, les crudités, le jaune d'œuf, les fromages blancs et les yaourts, les fruits frais acides, la vinaigrette et la moutarde.

2 Qu'en dites-vous ? 

- Que buvez-vous en mangeant ?
- La boisson que vous buvez modifie le goût de ce que vous mangez. L'avez-vous déjà remarqué ?

L'APÉRITIF, UN MOMENT CONVIVIAL

L'apéritif est un moment privilégié de partage et de convivialité avec des amis, des collègues, des membres de sa famille... Il a son importance dans l'organisation du repas car son rôle est d'ouvrir l'appétit, de mettre les papilles en action. Il est préférable de déguster des apéritifs légers, des vins blancs secs, mousseux ou rosés, mais les Français apprécient aussi de prendre un pastis, un alcool fort ou un vin cuit.

TRUCS ET ASTUCES

Il est recommandé de servir les vins dans un certain ordre, du plus léger au plus corsé, et généralement du plus jeune au plus vieux, exception faite pour le fromage qui se marie mieux avec un vin jeune. Entre chaque vin, il est souhaitable de boire un verre d'eau, qui permet de « rincer » la bouche. Si on ne sert qu'un seul vin tout au long du repas, il faut le choisir en fonction du plat principal, puis adapter à ce vin une entrée et un plateau de fromages qui le mettent en valeur.

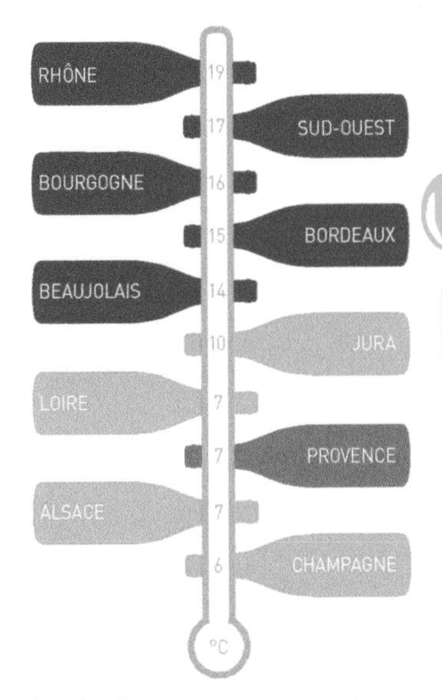

Tous les vins ne sont pas consommés à la même température ; les vins effervescents (champagne, crémant) et les rosés sont servis très frais (8 °C à 10 °C), les blancs entre 12 °C et 14 °C et les rouges entre 14 °C et 18 °C selon leur âge et leur région.

LE SAVIEZ-VOUS ?

L'apéritif dînatoire met à l'honneur la convivialité et le plaisir gustatif. Il remplace l'apéritif et le dîner, se prend au salon (plutôt qu'à table), est composé de vins (plutôt que d'alcools forts) et de préparations culinaires variées et présentées en petites portions (plutôt qu'en assiettes).

Pour un apéritif dînatoire, on prépare des bouchées et des verrines aussi bien salées que sucrées.

« Bonne cuisine et bon vin, c'est le paradis sur Terre. »

Henri IV

EXPRESSIONS

« Mettre de l'eau dans son vin » : se calmer, se modérer ; diminuer ses exigences, être indulgent, tolérant.

« Mettre l'eau à la bouche » : donner envie.

Lire une étiquette

LA CARTE D'IDENTITÉ DU VIN

L'étiquette est la première image d'un vin, et il existe autant de style d'étiquettes (esthétique, couleur, dessins, etc.) que de vins différents. Mais elles comportent toutes des informations obligatoires et d'autres facultatives. Ces informations se trouvent sur l'étiquette principale ou sur la contre-étiquette (qui est au dos de la bouteille).

LE SAVIEZ-VOUS ?

Le cépage peut se définir comme la variété de vigne utilisée pour faire le vin. Il en existe ainsi plus d'une centaine en France (chardonnay, pinot, grenache...). Chaque cépage a ses particularités physiques : la forme des feuilles et des grappes, la couleur des raisins à maturité, la composition des grains, etc.
Dans la classification des vins, le « cru » est un vin de qualité supérieure. Le « grand cru » est le plus qualitatif.

L'IGP (indication géographique protégée), l'AOC (appellation d'origine contrôlée) et l'AOP (appellation d'origine protégée) sont des labels certifiant l'origine du vin.

Les mentions obligatoires sont :

1. la dénomination du produit (vin de table, vin de France, AOC, AOP, Vin de pays, IGP, cru, etc.)
2. le nom, l'adresse et la qualité de l'embouteilleur (celui qui met en bouteilles)
3. le titre alcoométrique (on dit aussi le degré d'alcool)
4. la contenance
5. le pays d'origine
6. le numéro d'identification du lot (il commence souvent par la lettre L)
7. un logo préventif à l'attention des femmes enceintes
8. les produits allergènes et la mention « contient des sulfites » si nécessaire

Les mentions facultatives sont :

- l'année de récolte, le millésime (chiffre qui indique l'année de récolte du raisin qui a servi à faire un vin)
- le cépage
- la marque de commerce, cuvée spéciale...

❶ Lecture d'étiquette : trouvez les mentions obligatoires et identifiez-les.

Le champagne

CHAMPAGNE !

Le « vin du diable », le « saute-bouchon »... Vous savez ce que c'est ? Il s'agit du champagne !
Depuis l'Antiquité, on produit du vin blanc non pétillant dans la région Champagne. Pendant le Moyen Âge, la renommée de ce vin ne cesse de grandir chez les rois de France. Les procédés de fermentation du vin changent et il devient pétillant. C'est à ce moment-là que les vignerons surnomment ce vin « le vin du diable » ou « le saute-bouchon » puisque certaines bouteilles explosent (à cause de la fermentation), mais ils ne comprennent pas pourquoi ! À la fin du XVIIe siècle, un moine, Dom Pérignon, réalise des assemblages (des mélanges) entre les cépages, améliore la qualité du vin et trouve le moyen de sceller (fermer) les bouteilles à l'aide d'un fil de chanvre, qui sera remplacé, plus tard dans l'histoire, par le muselet. Au XVIIIe siècle, le champagne est de plus en plus connu à l'étranger et au XXe siècle, le champagne se démocratise. C'est, à l'heure actuelle, le vin le plus exporté au monde.

De l'or pâle à l'or vert, du vieil or à l'or gris, du jaune paille au jaune intense, toutes les nuances s'offrent aux yeux. La robe du vin (sa couleur) est déterminée par l'assemblage.

LE SAVIEZ-VOUS ?

On parle de « méthode champenoise » pour les vins effervescents qui subissent une première fermentation en cuve, puis une deuxième fermentation en bouteille.

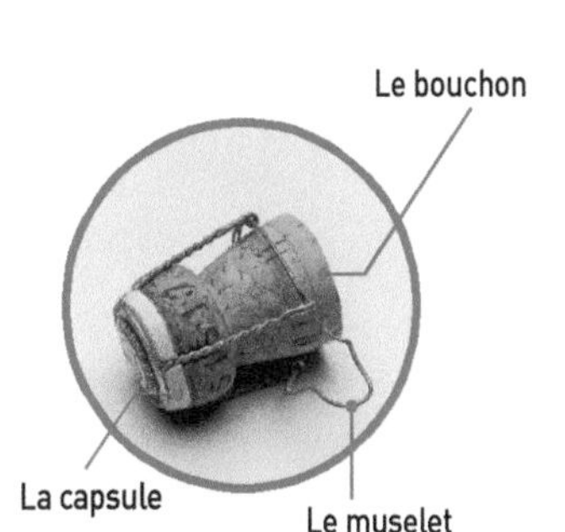

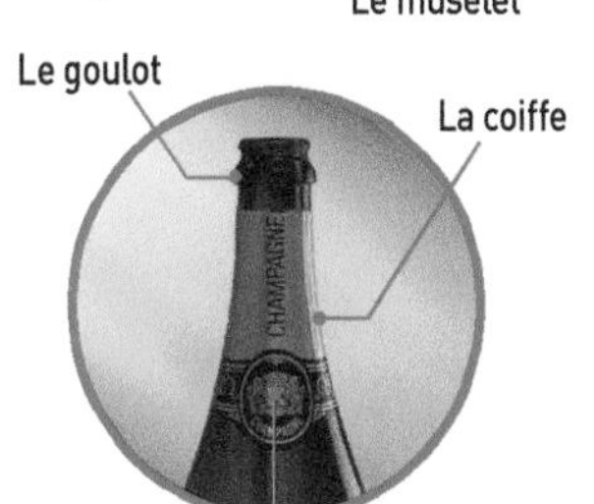

2 À quelle époque le vin de champagne est-il devenu pétillant ?

....

3 Quel est le phénomène qui fait sauter le bouchon ?

....

4 Quel dispositif est inventé pour éviter cela ?

....

COMMENT OUVRIR UNE BOUTEILLE ? 

5 Écoutez l'explication (audio 14) et entourez dans la liste les verbes que vous entendez.

ouvrir • déboucher • fermer • incliner • dégager • tenir • sauter • déborder

Autour du vin

LA DÉGUSTATION

DÉGUSTER UN VIN

C'est le goûter avec plaisir pour en apprécier les saveurs et la qualité

C'est le soumettre à nos sens : la vue, l'odorat et le goût.

C'est pouvoir exprimer avec des mots choisis, précis, le plaisir ou la déception que l'on ressent en le buvant.

La dégustation du vin se déroule en trois étapes, suivies d'un jugement d'ensemble. L'examen visuel permet d'apprécier la limpidité, la brillance, la couleur, la densité du vin. L'examen olfactif permet d'apprécier l'intensité, l'impression et les arômes. L'examen gustatif permet d'apprécier l'onctuosité, l'alcool, l'acidité, la matière et la finale (la dernière impression) d'un vin, mais aussi le sucre (pour les vins sucrés) et les tanins* (pour les vins rouges).

Le moment idéal pour déguster est avant le repas. On utilise des verres en forme de tulipe, qui offrent une grande surface de contact avec l'air afin de développer les arômes et de les emprisonner dans sa partie haute, plus étroite.
Pour pratiquer l'examen visuel, on observe le vin sur un fond blanc (une feuille de papier par exemple). Pour l'examen gustatif, on prend un peu de vin et on le fait circuler dans sa bouche. Pas besoin de l'avaler pour l'apprécier, il est recommandé de le recracher.

* Le tanin est l'un des composants du vin. C'est la matière provenant des pépins et de la peau des raisins, ainsi que du bois des fûts de chêne.

UNE DÉGUSTATION À L'AVEUGLE 

1 Écoutez le dialogue (audio 15) et entourez les mots que vous entendez dans la liste ci-dessous.

l'œil (visuel)	le nez (olfactif)	la bouche (gustatif)
robe	fruits rouges	concentrés
rubis sombre	fraise	complexes
grenat	framboise	simple
brillante	note florale	puissant
trouble	rose	tannique
	cuir	léger
	notes épicées et vanillées	

2 Faire correspondre chaque photo avec sa légende.

a. Le château du clos de Vougeot, en Bourgogne, entouré de son vignoble : photo ◯

b. Un cep de vigne (ou pied de vigne) est souvent noueux : photo ◯

c. Traditionnellement, la vinification se fait dans des tonneaux en bois cerclés de fer : photo ◯

d. Un coteau est un terrain en pente. Les coteaux ensoleillés sont souvent des terrains vinicoles : photo ◯

e. Les bouteilles sont fermées à l'aide de bouchons en liège qui portent souvent une inscription : origine du cru, année, etc. : photo ◯

f. Les vendanges permettent de récolter le raisin, à la main ou à l'aide de machines : photo ◯

g. Une grappe est composée de grains : photo ◯

h. Dans certaines exploitations, on utilise d'immenses cuves en inox pour la vinification : photo ◯

EXPRESSIONS

« Quand le vin est tiré, il faut le boire » : il faut aller au bout d'une affaire dans laquelle on s'est engagé.

3 Qui sont ces professionnels de la vigne et du vin ? Complétez chaque définition avec le mot qui convient.

un caviste • un œnologue • un sommelier • un vigneron • un viticulteur

a. .... est une personne qui cultive la vigne et fait du vin.

b. .... est une personne qui cultive la vigne.

c. .... est un spécialiste du vin, de son élaboration et de la dégustation.

d. .... est la personne chargée de la cave et du service du vin dans un restaurant.

e. .... est un professionnel qui s'occupe de vendre du vin dans une boutique spécialisée.

Le bœuf bourguignon d'Alain Ducasse

INGRÉDIENTS
(POUR 6 PERSONNES)

1,5 kg de bœuf à braiser (macreuse, paleron)
3 cl d'huile
100 g de beurre
20 g de farine
400 g de petits champignons
24 petits oignons grelots
200 g de lardons
poivre du moulin
fleur de sel

Préparation de la marinade
1 gros oignon
2 ou 3 échalotes
2 cl d'huile de tournesol
1 l de vin rouge
1 branche de thym
1 feuille de laurier
5 g de poivre

USTENSILES
une cocotte
une sauteuse ou une poêle
un saladier
un chinois (grande passoire fine)
une écumoire

du papier absorbant
du film étirable

TEMPS DE PRÉPARATION
40 min

MARINADE
24 h

TEMPS DE CUISSON
3 h

PRÉPARATION DE LA MARINADE

La veille, mettez les cubes de viande dans un saladier. Arrosez d'huile et versez le vin. Ajoutez l'oignon et les échalotes émincés, le thym, le laurier et le poivre. Couvrez de film étirable et laissez mariner 24 heures au réfrigérateur.
Le lendemain, égouttez la viande et épongez-la avec du papier absorbant. Passez la marinade au chinois.

CUISSON DU BOURGUIGNON

Dans une cocotte, chauffez l'huile avec 50 g de beurre et faites dorer la viande 3 à 4 minutes. Sortez les morceaux au fur et à mesure à l'aide d'une écumoire. Ajoutez 25 g de beurre, remettez la viande et son jus, puis saupoudrez de farine en retournant plusieurs fois les morceaux à feu vif.
Portez la marinade à ébullition et versez-la dans la cocotte. Salez et poivrez. Couvrez et faites cuire à petits frémissements pendant 2 h 30.
En fin de cuisson, faites fondre les lardons dans une sauteuse, pendant 7 à 8 minutes. Retirez-les et mettez les petits oignons épluchés à leur place pour les faire blondir, pendant 10 minutes à feu doux.
Ajoutez les champignons coupés et les 25 g de beurre restant dans la sauteuse. Laissez cuire 5 minutes à feu moyen.
Disposez les oignons, les lardons et les champignons dans la cocotte et poursuivez la cuisson pendant encore 30 minutes.

MYSTÉRIEUX USTENSILES 

❶ Écoutez les définitions (audio 16) et notez à quel matériel elles correspondent.

une écumoire • un saladier • une cocotte • du papier absorbant • une sauteuse • du film étirable • un chinois

a. ....
b. ....
c. ....
d. ....
e. ....
f. ....
g. ....

TRUCS ET ASTUCES

Comment accompagner un bœuf bourguignon ?
Avec une purée de pommes de terre, des pommes de terre sautées, des pâtes fraîches...

Quel vin boire avec le bœuf bourguignon ?
Un accord régional s'impose : un vin de Bourgogne. Un vin rouge ample et velouté, aux tanins fins comme un côte-de-nuits-villages, aux notes de champignon et de cerises confites, ou encore un mercurey de la Côte chalonnaise.

Que faire avec des restes de vin ?
Un reste de vin liquoreux est idéal pour réhydrater des pruneaux, des raisins secs ou des figues séchées.
On peut également faire son propre vinaigre. Le mot « vinaigre » provient des mots « vin » et « aigre ». Si vous laissez du vin à l'air libre, l'alcool se transforme naturellement en acide. Vous pouvez également aromatiser le vinaigre obtenu avec une branche d'estragon ou de la pulpe de framboises !

Que faire avec les reste de bœuf bourguignon ?
Un hachis parmentier, des tomates farcies...

Les parties du bœuf

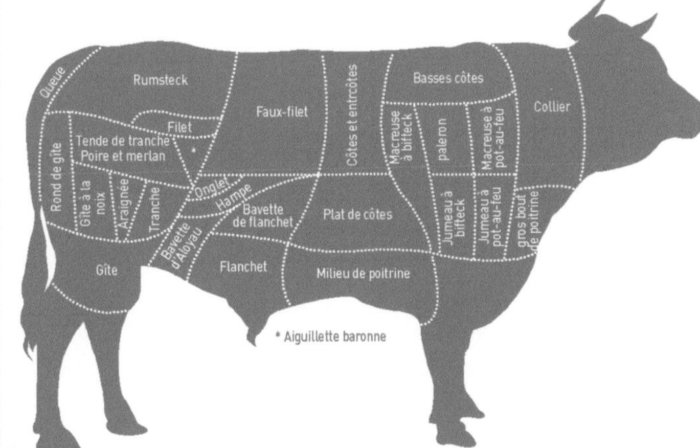

EXPRESSIONS

« Être fort comme un bœuf » : être très fort.

Recettes sucrées à base de vin

POIRES POCHÉES AU VIN ROUGE

(pour 4 personnes)

3/4 de litre de vin rouge • 4 poires pas trop mûres • 1 orange • 1 bâton de cannelle • 2 cuillères à soupe de miel • 1 clou de girofle • 1 gousse de vanille • 1 étoile de badiane.

Verser le vin dans une casserole. Ajouter les tranches d'orange, les épices et le miel, et chauffer à feu doux. Peler les poires, les déposer dans le vin et laisser cuire à feu très doux pendant 40 minutes. Laisser refroidir. Napper les poires avec le sirop de cuisson.

Vincent Rochette, vigneron en biodynamie

Depuis 1998, Vincent Rochette exploite le domaine Roche-Audran, un vignoble de la vallée du Rhône situé à Buisson (Vaucluse). Il succède à quatre générations de viticulteurs et travaille en biodynamie.

Pourquoi avoir choisi de travailler en biodynamie ?

Tout d'abord par conviction : par amour de la nature, par respect pour notre environnement et pour notre santé à tous. La biodynamie permet de maintenir naturellement la fertilité des sols de nos vignobles et d'augmenter la résistance des végétaux aux maladies. Elle s'est donc imposée dans notre travail quotidien aussi bien dans les vignes que dans la cave. Elle permet également de favoriser la plus pure expression de nos beaux terroirs* à travers nos vins.

Que signifie travailler en biodynamie ?

Travailler en biodynamie, c'est aller au-delà de l'agriculture biologique. Cela demande de répondre à un cahier des charges très strict. C'est une agriculture qui respecte le vivant et qui soigne la Terre. C'est comprendre et respecter les rythmes de la nature et du cosmos en fonction du calendrier lunaire qui permet de déterminer les jours qui sont favorables aux fleurs, aux feuilles, aux fruits et aux racines.

Notre volonté est de réduire l'intervention de l'homme dans le cycle naturel de la vigne et du vin. Le vignoble est entretenu grâce à des labours réguliers et des traitements naturels permettant la pleine expression du terroir*. Aucun produit chimique n'est utilisé, ni dans le vignoble, ni dans la cave.

C'est aussi favoriser et préserver la biodiversité. La diversité de la végétation naturelle environnante, la culture des oliviers et de la lavande, la production de miel ainsi que la présence des chevaux dans nos vignes pendant l'hiver, apportent une énergie supplémentaire et contribuent à l'harmonie des lieux.

Comment définiriez-vous votre travail du vin ?

Humilité, passion, patience, respect... Le travail du vin passe en priorité par celui du vignoble. La biodynamie apporte aux vins la richesse de la Terre. Pour chaque millésime, nous cherchons à produire des vins expressifs et précis, alliant la puissance du fruit, l'onctuosité, la gourmandise, la finesse et l'élégance. Des vins au plus près de la nature, purs et droits ! Ce travail nous demande beaucoup d'attention, d'observation et de patience. Il nous rappelle sans cesse à l'humilité, car nous ne faisons qu'utiliser les forces de la nature.

*le terroir : il s'agit des caractéristiques d'un vignoble (le sol, le sous-sol, le climat et l'exposition) qui donnent au vin sa spécificité.

LE SAVIEZ-VOUS ?

Le vin a donné des noms de couleurs : bourgogne, lie de vin, bordeaux.

1 Qu'en dites-vous ? 

- Existe-t-il dans votre pays une agriculture en biodynamie ?
- Pour vous, la biodynamie est-elle une agriculture d'avenir ou une technique du passé ?

FAISONS LE POINT

SAINT AMOUR

Comédie dramatique franco-belge de Benoît Delépine et Gustave Kervern (2016)

1 En vous inspirant de l'image et du titre, imaginez l'histoire que raconte ce film.

JEU DE RÔLES

Demander conseil/conseiller

2 Choisissez une des deux situations ci-dessous et imaginez un dialogue.

a. AU RESTAURANT

- **A** interpelle le sommelier/le serveur
- **B** arrive et répond
- **A** demande ce qu'il lui recommande de boire avec son plat
- **B** fait une proposition et la justifie
- **A** remercie et accepte ou refuse

b. CHEZ LE CAVISTE

Vous recevez des amis à dîner et vous cherchez un vin pour l'apéritif, le plat ou le dessert, mais vous n'êtes pas très sûr de ce que vous voulez. Vous demandez conseil à un caviste et vous achetez (ou non) ce qu'il vous propose.

TESTONS NOS CONNAISSANCES

3 Vrai ou faux ?

a. La forme des bouteilles de vin varie selon la région de production. V◯ F◯

b. Tous les vins français sont nommés selon leur cépage. V◯ F◯

c. L'indication du millésime est obligatoire sur l'étiquette d'un vin. V◯ F◯

4 Citez 2 noms de la même famille que « consommer ».

....

5 Qu'est-ce qu'un apéritif dînatoire ?

....

6 Quelles sont les trois étapes de la dégustation d'un vin ?

....

....

7 Citez trois métiers de la vigne et du vin.

....

....

8 Que signifient AOC et AOP ?

....

9 Quel est le rôle de l'eau dans le repas ?

....

10 Donnez un exemple d'accord entre un met et un vin.

....

11 À part le bœuf, quel est l'ingrédient principal du bœuf bourguignon ?

....

12 Qu'est-ce que la culture biodynamique ?

....

....

Quand la table se fait belle

UNE TRADITION FRANÇAISE

Les arts de la table, ce sont les arts associés aux repas pris en commun : la connaissance des mets, des boissons, de la vaisselle et de sa disposition, du placement des convives, de la décoration de la table, des façons de recevoir les hôtes, des manières de se comporter à table, du service, du menu... Ils se pratiquent sur le plan privé (avec les repas entre amis ou en famille), mais aussi dans le domaine professionnel.

Dans le commerce, le terme « arts de la table » regroupe les articles de vaisselle, de linge de table et de décoration : assiettes, verres, couverts de table, ustensiles de cuisine, serviettes et nappes, chandeliers. Aujourd'hui, recevoir, comme cuisiner, est devenu un vrai loisir pour beaucoup de Français. Quand on reçoit, on essaye de réunir toutes les conditions pour que ses invités se sentent exceptionnels. Bien sûr, on invite aussi parfois de façon moins conventionnelle : apéritif dînatoire, brunch, barbecue, etc. Mais les Français restent attachés au savoir-faire ancien des arts de la table.

UNE LONGUE HISTOIRE

Au Moyen Âge, on présentait les aliments sur une tranche de pain posée sur une planche de bois. Seuls les rois étaient servis sur un plat en or.

Au temps de Louis XIV, le roi veut montrer sa puissance avec les tables les plus belles ; c'est la naissance des manufactures royales, qui fabriquent services en porcelaine, orfèvrerie, verrerie, etc.
À la Révolution, les aristocrates émigrent, et leurs cuisiniers, comme Antoine Beauvilliers, ouvrent des restaurants. Désormais, ce sont les restaurants qui transmettent la culture du recevoir.
Le XVIIIe est le siècle de l'intimité : on ne veut pas trop de domestiques autour de la table ; l'usage des salles à manger se développe.
Au XIXe siècle, les palaces recréent des tables extraordinaires et font fabriquer de la vaisselle à leur nom. Grâce à la révolution industrielle, de nombreux accessoires sont produits en grande série, à moindre coût.
Au XXe siècle, de nouveaux matériaux et techniques permettent la naissance de nouvelles formes. On cherche des choses simples et faciles d'entretien pour le quotidien. La liste de mariage, qui permettait aux jeunes couples de recevoir tout le trousseau (linge de maison, vaisselle, etc.) est peu à peu abandonnée. Chacun exprime son style à travers les arts de la table.

« L'art de la table, c'est finalement du bon dans du beau. Jusque dans le plus infime détail. »

Alain Ducasse (*Dictionnaire amoureux de la cuisine*, 2003)

La chef Anne-Sophie Pic a conçu sa vaisselle avec le porcelainier Raynaud (Limoges).

❶ Placez dans la grille les mots soulignés dans le texte.

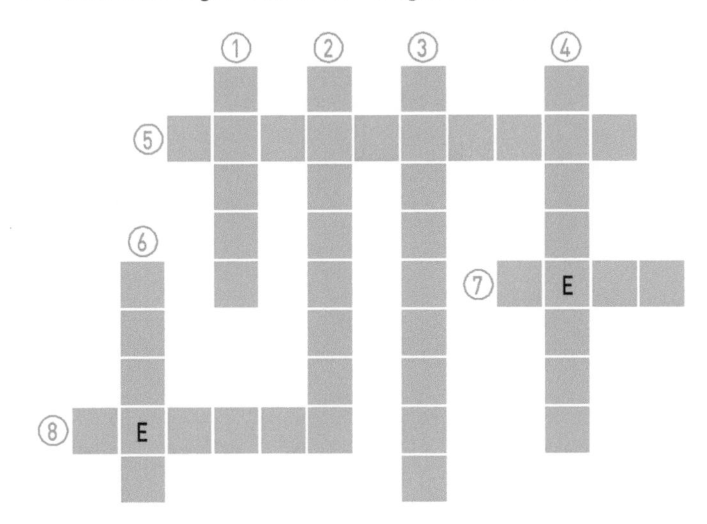

❷ Qu'en dites-vous ? 

- Les arts de la table sont-ils importants dans votre pays ?
- Quel est votre style en matière d'arts de la table ? Classique ou fantaisie ?
- Utilisez-vous la même vaisselle au quotidien et quand vous recevez des amis ?

LA LISTE DE MARIAGE DE PAULINE

❹ Écoutez le témoignage (audio 17) et soulignez dans la liste les objets cités.

- des couverts à salade
- des porte-couteaux
- des serviettes
- du linge de table
- un chemin de table
- un couteau à pain
- un dessous-de-plat
- un grand saladier
- un plat à gratin
- un service de table
- une carafe à vin
- une carafe à eau
- une ménagère
- une nappe
- une poivrière
- une salière
- un seau à glace
- une soupière

LE SAVIEZ-VOUS ?

Sur une table ronde la nappe doit être parfaitement repassée. Sur une table rectangulaire en revanche, on conserve les plis dans la longueur.

DE LA TARTINE À L'ASSIETTE ?

Découvrez l'histoire des arts de la table en vidéo.

❸ À quelle époque correspondent les mots-clés suivants ? Placez-les sur la frise.

intimité • loisir • manufactures royales • palaces • planche • restaurants • style personnel

Moyen Âge	XVIIe siècle	Révolution	XVIIIe siècle	XIXe siècle	XXe siècle	XXIe siècle

DÉCOUVRIR

Les usages de la table

LANGUE

Pour situer dans l'espace, on utilise :
à droite, à gauche
à droite de..., à gauche de...
à sa droite, à sa gauche
en haut, en haut de...
en dessous, en dessous de...
au dessus, au-dessus de...
entre
vers
devant, derrière
devant + nom,
derrière + nom.

« À tous les repas pris en commun, nous invitons la Liberté à s'asseoir. La place demeure vide, mais le couvert reste mis. »

René Char (*Fureurs et mystères*, 1948)

COMMENT ÇA SE MANGE ? 

Apprenez la bonne manière de manger un artichaut, des escargots, des asperges, etc.

❶ Observez la disposition des couverts et des verres et complétez le texte suivant à l'aide des éléments proposés.

vers • à droite du • en haut de (x2) • entre (x2) • à gauche de • au-dessus des • à la droite du • derrière • à droite • à sa droite

Les couverts sont placés en fonction de leur ordre d'utilisation. Les couverts les plus éloignés de l'assiette correspondent aux premiers mets dégustés.
La fourchette se place .... l'assiette et le couteau ...., le tranchant de la lame du couteau .... l'assiette et la cuillère à soupe .... couteau. La cuillère à dessert se place .... l'assiette, ... l'assiette et le couteau à fromage. Les verres sont disposés .... l'assiette, ... couverts à dessert.
On dispose le verre à eau dans l'alignement du couteau de table, puis, en respectant un angle à 45°, on place le verre à vin rouge .... et le verre à vin blanc .... verre à vin rouge. La flûte à champagne se place .... les verres, ... le verre à eau et le verre à vin rouge.

❷ Qu'en dites-vous ? 

- Quel type de couverts utilisez-vous ?
- La disposition des couverts a-t-elle de l'importance dans votre pays ?
- Attachez-vous de l'importance à la décoration de table ?

LA DÉCORATION DE TABLE

Un des secrets pour bien recevoir, c'est de préparer une jolie table, qui fera un écrin aux plats servis pendant le repas. Quelques idées pour recevoir à la française :

Le chemin de table

C'est un morceau de tissu étroit ou une succession d'éléments que l'on place au centre d'une table et qui s'étend sur toute sa longueur dans un but décoratif.

Le centre de table floral

Pour faire une jolie table, on peut commander un centre de table floral chez un fleuriste ou le confectionner soi-même. Ne le faites pas monter trop haut ou vous ne verrez plus votre voisin en face de vous ! On peut aussi, simplement mettre des fleurs coupées dans de petits vases ou parsemer la nappe de pétales de fleurs.

Les bougies

On peut disposer un bougeoir au centre de la table, ce qui lui donnera du volume. À la tombée de la nuit, on peut disposer de petits photophores pour une ambiance intime et chaleureuse. Il faut éviter les bougies parfumées pour ne pas mélanger leurs odeurs à celles de la nourriture servie.

La serviette

La serviette de table, telle que nous la connaissons aujourd'hui, date du XVIe siècle. Au XIXe siècle, le rond de serviette apparaît. Au début du XXe siècle, les jeunes filles cousent et brodent des nappes et des serviettes pour leur trousseau de mariage. La richesse d'une famille s'évalue alors grâce à la hauteur des piles de nappes et de serviettes !

Le pliage des serviettes

Les serviettes se plient à chaque occasion : en forme de cœur pour la Saint-Valentin, en forme de lapin pour Pâques, en forme de sapin pour Noël...

« Il y a dans la mise en scène d'un bon repas autre chose que l'exercice d'un code mondain ; [...] on regarde (on guette ?) sur l'autre les effets de la nourriture. »

Roland Barthes (*Mythologies*, 1954)

LE SAVIEZ-VOUS ?

Comment manger sa soupe ?

Portez la cuillère à la bouche par le bout (à la française) et non par le côté (à l'anglaise), ne l'enfoncez pas trop dans la bouche.

Les erreurs à ne pas commettre :

Ne soufflez pas sur une soupe pour la refroidir.
N'inclinez pas votre assiette pour en recueillir les dernières gouttes.
Ne raclez pas l'assiette avec votre cuillère.
N'aspirez pas le liquide dans la cuillère en faisant du bruit.

COMMENT DIRE ?

LANGUE

ON DIT :
mettre la table ; **dresser** la table ; **mettre** le couvert ; **débarrasser** la table ; **desservir**.

LE SAVIEZ-VOUS ?

Une ménagère, quand cela ne désigne pas une personne, est un service de couverts de table dans leur écrin.

On appelle « chiffre » les initiales (lettres) brodées sur le linge, peintes sur la vaisselle ou gravées sur les verres.

LANGUE

Un verre **à** vin, une tasse **à** café sont destinés à contenir du vin, du café. Un verre **de** vin, une tasse **de** café contiennent du vin, du café.

Parler de la table

❶ Complétez les définitions.

a. Une _ _ _ _ _ ETTE sert à s'essuyer la bouche.
b. On utilise une _ _ _ _ _ _ETTE pour piquer les aliments et les manger.
c. On met la nourriture dans une _ _ _ _ ETTE.
d. On utilise un COU _ _ _ _ pour couper ses aliments.
e. On dispose les COU _ _ _ _ _ de chaque côté de l'assiette.
f. Une _ _ _ _ _ ÈRE peut être petite pour le café, grande pour la soupe.
g. La _ _ _ _ ÈRE et la _ _ _ _ _ _ ÈRE sont côte à côte sur la table, pour assaisonner.

METTRE LA TABLE 

❷ Écoutez le dialogue (audio 18) et choisissez la photo qui ressemble le plus à la table que dresse Pascal. Expliquez pourquoi.

①

②

	Usage	Matière
Un verre	à eau, à vin, à bière, à liqueur, à whisky	en cristal, en verre
Une assiette	à dessert, à soupe	en porcelaine, en verre
Une cuillère	à café, à soupe	en inox, en argent
Un couteau	à viande, à poisson, à pain	en inox, en argent

EXPRESSIONS

« Mettre les petits plats dans les grands » : faire le maximum pour recevoir le mieux possible.

LE PORTRAIT

Chantal Wittmann, maître d'hôtel

En 2011, Chantal Wittmann est la deuxième femme à être devenue MOF (Meilleur ouvrier de France) « Maître d'hôtel, du service et des arts de la table ». Depuis seize ans, elle transmet avec passion son amour des arts de la table aux élèves du lycée hôtelier d'Illkirch-Graffenstaden, en Alsace.

Un métier de passion

« J'enseigne à mes élèves la technique, explique-t-elle. Comment faire une mise en place impeccable, les différentes méthodes de service, la découpe, le flambage, le dressage, etc. Je leur donne une bonne connaissance des produits, des mets régionaux et des spécialités mondiales, mais je leur apprends aussi la gestuelle, qui doit être précise, rapide et élégante. Il faut être maniaque et il faut surtout être exigeant. Une table bien mise, pour moi, il faut que ce soit parfait. »

Elle reprend : « Chef de rang, maître d'hôtel, directeur de salle, serveur, ce sont des métiers qui demandent beaucoup de rigueur et de persévérance. La cuisine écrit la partition, la salle l'interprète, joue les notes de musique, et le maître d'hôtel en est le chef d'orchestre. Un service réussi est comme un ballet ! Il faut transformer le repas en moment de plaisir, de bien-être. Être à l'écoute du client, répondre à ses attentes. »

MOF Maître d'hôtel, du service et des arts de la table : un concours difficile

Lorsqu'on se présente au concours de MOF, à travers des épreuves proposées, on peut voir toutes les facettes des métiers du service et des arts de la table. Chantal Wittmann en énumère quelques-unes : « Il faut savoir réaliser un beurre façon Suzette, mais aussi assurer l'accueil et l'entretien de recrutement d'un maître d'hôtel, accueillir des clients, présenter une carte, conseiller sur des accords mets et vins, maîtriser l'art du flambage, du service au guéridon (par exemple, ouvrir un œuf pour y introduire du caviar), exécuter la découpe d'un steak Diane, d'un gigot de cabri rôti, montrer que l'on maîtrise ses émotions avec le client, avoir le sens de la répartie, rester souriant, impassible et élégant quoi qu'il arrive ! »

LES CONSEILS DE CHANTAL WITTMANN POUR PRÉPARER UNE JOLIE TABLE À LA MAISON

Tout d'abord, se faire plaisir en la préparant.

•

Dresser la table en fonction du thème du repas et des mets servis.

•

La rendre harmonieuse et accueillante pour le plaisir des invités.

•

Une faute à ne pas commettre lorsque l'on invite chez soi : que la table ne soit pas dressée lorsque les invités arrivent.

L'ART DE LA TABLE 

Découvrez comment on apprend l'art de la table avec Chantal Wittmann au lycée hôtelier d'Illkirch-Graffenstaden.

Coques de macarons de Christophe Felder

INGRÉDIENTS
225 g de sucre glace • 125 g de poudre d'amande
100 g de blanc d'œuf (3,5 blancs environ)
25 g de sucre semoule

USTENSILES
Un robot multifonctions • Un robot pâtissier
Une poche à douille munie d'une douille lisse (8 ou 10 mm) • Une spatule • Deux plaques de cuisson recouvertes de papier sulfurisé

TEMPS DE PRÉPARATION
1 h

TEMPS DE CUISSON
12 min

PRÉPARATION DES COQUES

Préchauffez le four à 170°C et pesez tous les ingrédients.
Versez le sucre glace et la poudre d'amande dans le bol du robot multifonctions. Mixez pendant trente secondes pour faire une poudre très fine.
Versez les blancs d'œufs dans la cuve* de votre robot pâtissier et faites-le tourner à pleine vitesse. Lorsque les blancs commencent à être bien mousseux, incorporez le sucre semoule et laissez tourner pendant dix minutes. Vous devez obtenir une meringue bien compacte et bien blanche.
Versez le mélange sucre glace + poudre d'amandes dans les blancs montés et mélangez à l'aide d'une spatule en caoutchouc. Travaillez rapidement la pâte pour casser les blancs montés : la pâte a une consistance liquide, mais assez épaisse.

*la cuve du robot est le récipient dans lequel on ajoute les ingrédients.

Remplissez votre poche à douille avec la moitié de la préparation et réalisez des petites boules de pâte sur votre plaque de cuisson. Soulevez la plaque de 10 cm et laissez-la tomber sur le plan de travail afin d'égaliser la surface des macarons.
Enfournez 10 à 12 minutes en tournant la plaque à mi-cuisson. Lorsque les macarons sont cuits, laissez-les complètement refroidir sur une grille.

POUR LA GARNITURE

Pour des macarons sucrés, on peut utiliser de la confiture de framboises, du caramel au beurre salé, de la ganache au chocolat...
Pour des macarons salés, toutes les innovations sont permises : tomate et basilic, tapenade et pamplemousse, foie gras, carotte, etc.
NB : pour les macarons salés, la coque est la même que pour les macarons sucrés.

TRUCS ET ASTUCES

Pour comprendre la recette

Pour la préparation des coques, on utilise une poche à douille.

Il faut « macaronner » la pâte, c'est-à-dire la travailler afin de la rendre lisse, brillante et souple. On obtient ainsi des coques lisses à la cuisson.

La meringue française est réalisée avec du sucre en poudre (le poids du sucre est à peu près égal à deux fois le poids du blanc d'œuf), alors que la meringue italienne est faite avec un sirop de sucre porté à 118 °C. On peut utiliser l'une ou l'autre pour faire les macarons.

Pour colorer les coques (qui ne sont pas parfumées), on utilise des colorants en poudre. On les ajoute à la meringue.

Recette de la ganache au chocolat noir

200 g de crème liquide entière • 1 cuillère à soupe de sucre semoule
250 g de chocolat noir à 60 % de cacao minimum • 40 g de beurre

Versez la crème liquide dans une casserole, ajoutez le sucre semoule et portez l'ensemble à ébullition sur feu doux.
Hachez finement le chocolat noir.
Versez la moitié de la crème sur le chocolat haché.
Mélangez délicatement avec une spatule, en partant du centre du récipient, afin d'incorporer la crème.
Ajoutez le reste de crème et mélangez.
Incorporez délicatement le beurre coupé en petits morceaux pour lisser la ganache.
Recouvrez de film alimentaire et laissez à température ambiante pendant que vous préparez les coques de macarons.

LE SAVIEZ-VOUS ?

Pierre Hermé (meilleur pâtissier du monde 2016) a créé, en 2005, la Journée internationale du macaron, qui a lieu le 20 mars et qui permet à tous les gourmands de macarons de faire un don pour une association en échange du fameux petit gâteau !

LE SUCRE DANS TOUS SES ÉTATS

Le sucre cristallisé est extrait de la betterave sucrière et se présente sous forme de grains.
Le sucre semoule ou « sucre en poudre » est du sucre cristallisé broyé ou tamisé.
Le sucre glace est du sucre cristallisé broyé très fin.
Le sucre en morceaux est du sucre cristallisé qui a été moulé et qui se présente sous la forme de petites briques.

« Manger un macaron, c'est faire un tout petit excès sans avoir l'impression de commettre un péché de gourmandise »

Chantal Thomass, Styliste

LE SAVIEZ-VOUS ?

Le guide Michelin décerne des étoiles aux restaurants de prestige. Ces étoiles sont également appelées « macarons ».

La porcelaine

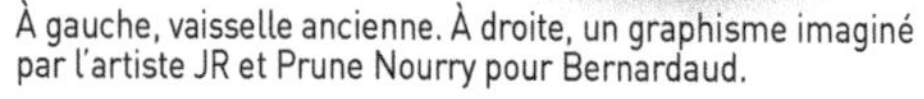

À gauche, vaisselle ancienne. À droite, un graphisme imaginé par l'artiste JR et Prune Nourry pour Bernardaud.

EXPRESSIONS

« Avoir un teint de porcelaine » : avoir un joli teint, une jolie peau.
« Comme un éléphant dans un magasin de porcelaine » : avec maladresse.

LE SAVIEZ-VOUS ?

C'est un coquillage appelé porcelaine qui a donné son nom au matériau qui, comme lui, est brillant et délicat.

On appelle « noces de porcelaine » le vingtième anniversaire de mariage.

La porcelaine est un élément central dans les arts de la table et les arts décoratifs. On appelle « porcelaine » (ou porcelaine dure) une céramique blanche, fine et translucide, qui est produite à partir d'une argile blanche (le kaolin) cuite et vitrifiée grâce à l'ajout d'un vernis avant la deuxième cuisson. On appelle « biscuit » la porcelaine avant l'étape de vitrification.
La porcelaine a été inventée en Chine au XVIIe siècle et elle a été introduite en France au XVIIIe siècle par un jésuite originaire de Limoges, le père d'Entrecolles, qui a étudié sur place la fabrication de la porcelaine chinoise. Sous Louis XV, la production s'est développée car, pour des raisons économiques évidentes, il fallait produire en France pour exporter des produits plutôt que d'en importer.
De nombreuses manufactures se sont installées là où on trouvait la matière première : Limoges, Strasbourg, Chantilly et surtout Sèvres, qui devient manufacture nationale. D'autres villes ont eu – et, pour certaines, ont encore – un centre de fabrication de porcelaine : Bayeux, Creil, Lunéville, Marseille, Mennecy, Moustiers, Nevers, Orléans, Rouen, Sarreguemines, etc., et chacune a développé son propre style de décoration. Fleurs stylisées aux couleurs vives, décors raffinés réhaussés d'or fin, la porcelaine donne du style, depuis trois siècles, aux tables de fête !

LA MANUFACTURE ROYALE
Découvrez la manufacture de Sèvres et l'histoire de la porcelaine française.

« Un homme sage achète à sa femme de la porcelaine si fine qu'elle n'osera pas se fier à lui pour la vaisselle. »
Alexandre Dumas fils

« Les femmes de porcelaine nous donnent l'impression d'être un éléphant dans un magasin de Limoges. »
Frédéric Beigbeder, écrivain

FAISONS LE POINT

Timbre-poste dessiné par Christian Broutin pour La Poste (2005).
Les timbres-poste EUROPA illustrent un thème unique, commun à chaque pays émetteur membre de PostEurop. Pour l'année 2005, le thème retenu était « la gastronomie ».

❶ Vous imaginez un timbre pour votre pays sur le thème de la gastronomie. À quoi ressemblerait-il ? Décrivez-le.

JEUX DE RÔLES

❷ Vous recevez des amis à dîner et préparez la table. Complétez le dialogue, puis jouez la scène.

A : Tu m'aides à mettre le couvert, s'il te plaît ?
B : ....
A : Six : Myriam, Adam, leurs deux enfants, toi et moi.
B : ....
A : Non, sur la terrasse, il fait beau et la table est plus grande.
B : ....
A : Comme tu préfères ; personnellement, j'aime mieux la nappe bleue.
B : ....
A : On va mettre les enfants au bout, puis Myriam à côté de moi et Adam et toi en face.

TESTONS NOS CONNAISSANCES

❸ Que signifie « dresser la table » ?

....

❹ Avant l'apparition de l'assiette, sur quoi les Français posaient-ils leurs aliments ?

....

❺ Quelle est la différence entre « un verre à vin » et « un verre de vin » ?

....

❻ Citez trois couverts.

....

....

....

❼ Vrai ou faux ?
La porcelaine est originaire de Chine. V◯ F◯

❽ Qu'est-ce qu'un biscuit, quand ça ne se mange pas ?

....

❾ Vrai ou faux ?
À table, on place les verres à gauche de l'assiette. V◯ F◯

❿ Comment s'appelle le mélange de chocolat, de crème, de sucre et de beurre que l'on prépare pour garnir les macarons ?

....

⓫ Citez deux métiers de service au restaurant.

....

....

⓬ Qu'est-ce qu'un chemin de table ?

....

7 • LE GRAND REPAS

DÉCOUVRIR

Le repas d'exception

Le déjeuner d'huîtres, Jean-François de Troy, Huile sur toile (1735), Musée Condé.

LE DÉJEUNER D'HUÎTRES

Découvrez les secrets du célèbre tableau de Jean-François de Troy.

LANGUE

LE VERBE ARROSER : On arrose son jardin (avec de l'eau) pour que les plantes poussent. Quand on arrose un événement, cela signifie qu'on le célèbre en buvant un verre (en général, de l'alcool).

LES FÊTES EN FRANCE

Explorez le calendrier français des fêtes et des jours fériés.

ÊTRE ENSEMBLE

En France, toutes les occasions sont bonnes pour réunir les gens qu'on aime autour d'une table. Le repas peut être plus ou moins formel, organisé et codifié, selon les circonstances. Cela peut être un dîner léger, improvisé, ou un repas de plusieurs heures, plus copieux et plus arrosé mais, dans tous les cas, ce qui compte, c'est le plaisir d'être ensemble. Pour célébrer les étapes de la vie (baptême, anniversaire, mariage ou pacs*) ou des fêtes récurrentes (Pâques, fête des mères, Noël, jour de l'an), les Français mettent les petits plats dans les grands et organisent un repas gastronomique, dans les règles de l'art. En fonction des saisons, de l'événement et de leur région, ils choisissent soigneusement les recettes et les produits à utiliser, dressent une jolie table et s'appliquent à accorder au mieux les mets et les vins. Il ne s'agit pas seulement de se nourrir, mais de partager un moment spécial.
Quand tous les invités sont arrivés, le repas peut commencer, mais on ne sait jamais quand il va se terminer !

* Le pacs est une union civile entre deux personnes.

Un dîner au restaurant.

1 **Retrouvez dans le texte les synonymes des mots suivants.**

a. rassembler • **b.** formel • **c.** consciencieusement • **d.** associer • **e.** finir

« Si vous y réfléchissez, je suis certain que dans votre vie, bon nombre de vos grands moments, de vos souvenirs les plus chaleureux, sont associés à une table et à ceux qui étaient réunis autour. Nous partageons alors bien plus que des plats. »

Gilles Legardinier (*Treize à table*, 2015)

2 Replacez chaque question avec la bonne liste.

Qui va cuisiner ? • Qui sont les invités ? • Quel menu va t-on servir ? • Quel type de service ? • Où ça se passe ?

a. ....?

L'apéritif (et ses mises en bouche ou amuse-bouche)
L'entrée
Le poisson (avec sa garniture)
Le « coup du milieu » ou « trou normand » (petit verre d'alcool fort)
La viande (avec sa garniture)
La salade
Le fromage
Le dessert
Le café
Le digestif

b. ....?

À la maison
Au restaurant
Dans une salle de location

c. ....?

Les hôtes
Un professionnel (cuisinier, traiteur)

d. ....?

Service à table
Buffet

e. ....?

La famille
Les amis
Les copains
Les proches
Les collègues
Les connaissances
Les relations
Les voisins

Une fête à la maison.

LE SAVIEZ-VOUS ?

Le mot « apéritif » vient du latin *aperire* qui signifie « ouvrir ».
« Digestif » vient de *digestives*, « qui sert à la digestion ».

LANGUE

On dit souvent « apéro » pour apéritif et « digeo » pour digestif.

EXPRESSIONS

« Mettre les petits plats dans les grands » : faire le maximum pour recevoir le mieux possible.

LE REPAS DE NOËL CHEZ LES MARCHAND

3 Écoutez le récit d'Annie (audio 19) et rectifiez les affirmations suivantes.

a. Le repas de Noël se passait quelquefois chez les parents d'Annie.

....

b. Le repas durait plusieurs jours.

....

c. Le menu changeait chaque année.

....

d. On finissait le repas par une bûche au café.

....

e. Heureusement, tout le monde mettait la main à la pâte !

....

4 Qu'en dites-vous ? 

- Pour quelles occasions organisez-vous un repas spécial ?
- Existe-t-il dans votre pays des mets spécifiques pour un événement ?
- Combien de temps passez-vous à table pour un repas de fête ?

Des lieux d'exception

Un soir de grand prix au pavillon d'Armenonville, Henri Gervex, huile sur toile (1905), Musée Carnavalet.

LE REPAS DE MARIAGE 

Lisez l'extrait de *Madame Bovary* dans lequel Gustave Flaubert décrit le repas de mariage d'Emma et Charles.

DU BOUILLON AU RESTAURANT

Le restaurant naît à la fin du XVIIIe siècle, à Paris. Les premiers s'installent autour du Palais Royal. Le nom « restaurant » vient du nom d'un plat, le « bouillon restaurant » que l'on y préparait à cette époque afin de reprendre des forces, de « restaurer » ses forces. Peu à peu, les cuisiniers diversifient l'offre culinaire proposée, qui devient de plus en plus élaborée. Ce qui évolue également, ce sont les horaires de service : on sert des repas en fonction de l'arrivée des clients et plus seulement à un horaire fixe. De plus, au restaurant, on peut manger avec des gens que l'on a choisis, contrairement à ce qui se faisait dans les auberges où on devait s'attabler auprès des convives déjà présents. On peut même manger seul, à une table individuelle.

Le type de service proposé s'adapte à cette évolution : dès 1810, on passe du service à la française (où chacun se sert dans un plat posé sur la table) au service à la russe (ce qui signifie que l'on sert des assiettes individuelles). La facturation en est facilitée. Il est possible de consulter la liste des mets proposés sur une carte.

Le restaurant permet donc une intimité privée dans un lieu public ouvert à tous, où l'on peut célébrer hors de la maison différents événements importants ou symboliques. Le restaurant est un lieu de rencontre autour d'un repas partagé, et il peut être également un lieu de fête.

Le décor de certains restaurants est somptueux, les couverts sont en argent, on mange dans de la porcelaine... Le luxe aristocratique est offert à tous. Aujourd'hui encore, le restaurant peut être un lieu d'exception, offrir un moment hors du temps, un cadre, une cuisine et un luxe qui sont bien loin de ceux du quotidien.

Le somptueux décor du restaurant *Le Grand Véfour*, joyau de l'art décoratif du XVIIIe siècle, n'a pas changé depuis sa création en 1784.

LE MENU

À partir du XVIIe siècle, le menu désigne l'ordonnancement d'un repas ou la liste des mets qui le composent. À l'origine, ce document était destiné au cuisinier ou au maître d'hôtel, mais pas au convive. Le menu présenté sous forme de feuillet explicatif destiné au convive apparaît au XIXe siècle, en même temps que se généralise le service à la russe. Dans certains restaurants, le vin n'est pas indiqué sur la carte. Il y a une carte des vins à part.

LA CARTE DU GRAND VEFOUR

ENTREES

POISSONS

VIANDES

DESSERTS

LES CLASSIQUES

La carte du *Grand Véfour*.

Qu'en dites-vous ?

- Avez-vous déjà fêté un événement dans un restaurant gastronomique ? Avez-vous gardé le menu ?
- Quelle somme seriez-vous prêt à dépenser pour un repas de fête ?
- Quel est le restaurant le plus prestigieux de votre pays ? Pouvez-vous le décrire (localisation, décor, cuisine, etc.) ?
- Quel est votre plus beau souvenir de moment partagé au restaurant ?

LE SAVIEZ-VOUS ?

Le restaurant *La Tour d'argent*, situé dans le 5e arrondissement de Paris, est l'un des plus anciens restaurants d'Europe. En 1582, il s'installe près de la tour du château de la Tournelle, édifice en pierre brillante, aux reflets argentés. Le lieu prend alors le nom de *Tour d'argent*. De nos jours, le logo du restaurant reproduit la tour d'origine, aujourd'hui disparue. La cave à vin de *La Tour d'argent* est la plus importante et la plus prestigieuse de Paris (350 000 bouteilles réparties en 15 000 références, sur deux étages, à deux mètres sous terre).

La Tour d'argent, à Paris.

L'EAU À LA BOUCHE

Découvrez les menus proposés dans de prestigieux restaurants ou sur le paquebot *France*.

C'est la fête !

FAIRE LA FÊTE

Vous organisez une fête pour célébrer un événement ? Vous pouvez l'annoncer dans la presse ou envoyer des faire-part et des invitations. Quelques formules utiles :

LÉO ET CAMILLE

ont la joie de ont le plaisir de sont heureux de	vous inviter à leur mariage vous faire part de la naissance de Tom vous convier à leurs fiançailles

1 Remettez dans l'ordre les lettres des verbes suivants, qui expriment le fait d'être ensemble.

1. se ré _ _ _ _ i n r u
2. se ra _ _ _ _ _ _ _ _ b e e l m r s s
3. se re _ _ _ _ _ _ _ e o r t u v r
4. se re _ _ _ _ _ _ _ e g o p r r u
5. se re _ _ _ _ _ _ _ d e i j n o r

LANGUE

Célébrer est un verbe obligatoirement suivi d'un nom. On célèbre un anniversaire, une victoire.
ON DIT : **je fais la fête.**
ON NE DIT PAS : je célèbre.

2 Trouvez l'intrus parmi ces synonymes du mot repas.

a. Un gueuleton (familier) : repas copieux et excellent.
b. Une collation : repas léger que l'on prend à tout moment de la journée.
c. Des agapes (n.f. pluriel) : repas copieux et joyeux entre amis.
d. Un festin : repas abondant et délicieux.
e. Un banquet : repas de cérémonie où sont invitées de nombreuses personnes pour célébrer un événement.

3 Desserts de fête.
Associez chaque dessert à une fête.

une bûche • des crêpes • une galette des rois
un gâteau • une pièce montée

1. On mange .... à l'occasion d'un anniversaire, après avoir soufflé les bougies qui sont dessus.

2. On partage .... le 6 janvier, jour de l'Épiphanie qui célèbre l'arrivée des Rois mages auprès de l'enfant Jésus.

3. Pour un mariage, on partage généralement .... ; c'est un assemblage de choux à la crème, collés ensemble par du caramel.

4. .... est un gâteau qui a la forme d'un morceau de bois (qui porte le même nom). Avec la dinde et le sapin, elle symbolise Noël.

5. Le jour de la Chandeleur, le 2 février, il est d'usage de manger .... !

À TA SANTÉ !

4 Écoutez les invités d'Antonio (audio 20) et soulignez les expressions que vous entendez.

trinquer • porter un toast • lever son verre à • À la (bonne) vôtre ! • À la tienne ! • Tchin tchin ! • Santé !

Anne-Sophie Pic, funambule des saveurs

Fille, petite-fille de cuisiniers étoilés, Anne-Sophie Pic représente la quatrième génération de sa famille à exercer ce métier. Son arrière-grand-mère, Sophie Pic était, elle aussi, cuisinière. Anne-Sophie Pic dirige la Maison Pic, le restaurant gastronomique familial, à Valence, dans la Drôme, ainsi que d'autres établissements, dont une école de cuisine, un restaurant à Paris où s'exprime son univers féminin, et un prestigieux restaurant à Lausanne. Diplômée d'une école de commerce, Anne-Sophie Pic est revenue vers la cuisine en 1992 et a repris les rênes de la maison Pic en 1998, à la suite de son père. Dans un milieu majoritairement masculin, en 2007, Anne-Sophie Pic est une des rares femmes françaises à obtenir trois étoiles au guide Michelin. Elle est également nommée meilleure chef du monde en 2011. Malgré ces distinctions et sa cuisine d'exception, Anne-Sophie Pic tient à être définie comme une « cuisinière ». Sa cuisine est précise, les goûts sont puissants, elle associe des saveurs inédites et son expression est délicate. Elle se définit comme une funambule des saveurs : « En toute chose, je recherche l'équilibre, la note juste, la précision... mon travail de création me donne l'impression d'être toujours sur le fil. »

« Il faut savoir rêver les plats. »
Anne-Sophie Pic

Qu'en dites-vous ? 

Y a-t-il beaucoup de femmes à la tête de grands restaurants dans votre pays ?

« Le goût, c'est l'émotion, tout simplement. »
Anne-Sophie Pic

Les berlingots d'Anne-Sophie Pic, son plat signature.

ANNE-SOPHIE PIC EN QUELQUES MOTS...

une épice : la fève tonka
un plat signature : les berlingots au thé matcha
une expression pour définir sa cuisine : complexité aromatique
un lieu : Valence
une fleur en cuisine : le géranium rosat
une association culinaire osée : figue-miel-aneth
un pays dans sa cuisine : le Japon

Les profiteroles de Philippe Urraca

LA PÂTE À CHOUX

INGRÉDIENTS
50 mg d'eau
50 mg de lait
1 g de sel
50 g de beurre
60 g de farine tamisée
100 g d'œufs (2 œufs)

USTENSILES
Une casserole
Une spatule rigide
Un saladier
Une poche munie d'une douille lisse (n°12)
Du papier sulfurisé

LA SAUCE AU CHOCOLAT

INGRÉDIENTS
110 g d'eau
110 g de lait
20 g de sucre
25 g de beurre
150 g de chocolat noir à 70% de cacao
1 pincée de fleur de sel

USTENSILES
Une casserole
Un mixeur plongeant

TEMPS DE PRÉPARATION
1 h 10

TEMPS DE CUISSON
40 min

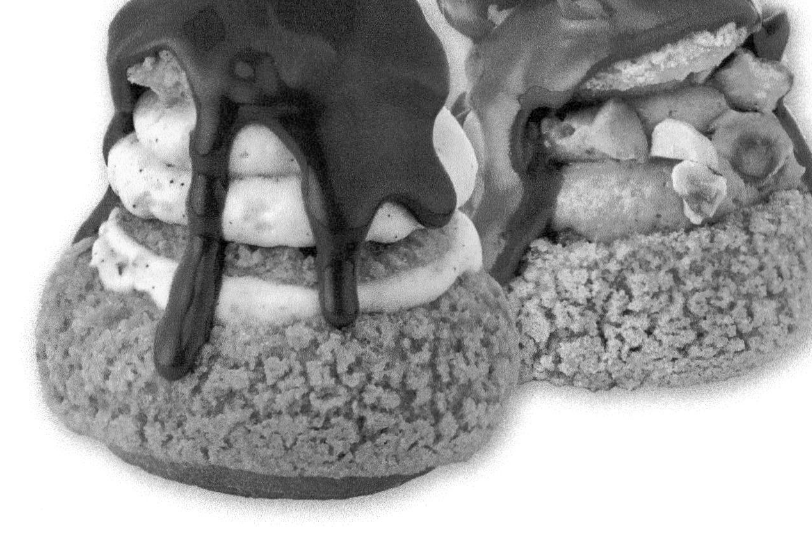

LA PÂTE À CHOUX

Préchauffez le four à 230°C.
Mettez l'eau, le lait et le beurre coupé en dés dans une casserole et portez à ébullition.
Lorsque le lait bout, hors du feu, ajoutez la farine, en une fois.
Mélangez vigoureusement, sans cesse, pendant une minute, jusqu'à ce que la pâte se décolle des parois et forme une boule.
Mettez la pâte dans un saladier et ajoutez les œufs un à un, en mélangeant rapidement entre chaque ajout : la pâte doit être lisse et homogène.
Garnissez de pâte une poche munie d'une douille lisse. Sur une plaque de cuisson tapissée de papier sulfurisé, déposez 8 boules de pâte.
Enfournez, éteignez le four et laissez les choux ainsi 10 min. Rallumez le four à 170°C et faites cuire 30 min sans ouvrir la porte du four. Sortez les choux et laissez-les refroidir sur une grille.

LA SAUCE AU CHOCOLAT

Versez le lait, l'eau, le sucre, le beurre et la fleur de sel dans une casserole et portez à ébullition. Versez le mélange bouillant sur le chocolat. Mixez la sauce.

MONTAGE DE LA PROFITEROLE

Une fois les choux cuits, coupez-les en deux, garnissez-les de glace à la vanille et nappez-les de sauce au chocolat.

TRUCS ET ASTUCES

Ajoutez du craquelin à vos choux : ils seront croustillants à l'extérieur et fondants à l'intérieur, avec une saveur délicatement caramélisée.

LA RECETTE DU CRAQUELIN

40 g de beurre demi-sel mou
50 g de sucre cassonade
50 g de farine

Mélangez tous les ingrédients. Prenez le temps de bien malaxer la pâte.
Roulez la pâte en boule et étalez-la entre deux feuilles de papier cuisson. L'épaisseur doit être de 2 millimètres environ.
Placez la pâte au réfrigérateur.
Découpez des cercles de la même taille que les choux. Déposez délicatement le craquelin sur la pâte à choux crue et enfournez.

Pour varier les plaisirs
« Il n'y a pas *une* mais *des* profiteroles ! Il faut oser une pointe d'originalité et de folie afin de personnaliser le dessert. »
Ainsi, Philippe Urraca, MOF pâtissier, spécialiste des profiteroles, imagine différentes interprétations de ce classique de la pâtisserie française : différents types de pâte à choux (au chocolat, par exemple), des sorbets aux fruits à la place de la glace à la vanille et différents nappages (sauce chocolat-noisette, sauce aux fruits, etc.).

LE SAVIEZ-VOUS ?

La crème contient au minimum 30 % de matière grasse (MG).
Si elle en contient moins, elle porte le nom de « crème allégée ».
La crème peut être épaisse ou liquide, fluide, fleurette.
La crème liquide (à 35 % de MG) est la crème idéale pour faire la crème chantilly.
La crème épaisse est plus acide que la crème liquide.

EXPRESSIONS

« C'est la crème de la crème ! » : c'est ce qu'il y a de mieux.
« C'est une bonne pâte ! » : il/elle est serviable.

LES CHOUX

Les choux se consomment également dans une version salée. On les appelle alors des gougères. Pour faire des gougères, on ajoute du fromage râpé ou de petits dés de jambon à la pâte avant de dresser les choux. On peut également les garnir d'une sauce béchamel.
La pâte à choux est la pâte de base des éclairs, des chouquettes, des pets-de-nonne, du Paris-Brest, de la religieuse, du Saint-Honoré, des choux à la crème...

Ci-dessus : des gougères.
Ci-contre : des chouquettes.

Le foie gras

Les Français sont attachés au foie gras qui est un produit du terroir par excellence, ancré dans les traditions locales. La France est le premier producteur mondial de foie gras. Il vient essentiellement du Sud-Ouest, qui a de nombreux marchés au foie gras (Périgueux, Sarlat, Orthez, Brive, etc.). À Strasbourg, en Alsace, il y a aussi une longue tradition d'élevage de canard à foie gras.

Le foie gras symbolise tout un art de vivre et, au fil des siècles, il est devenu pour tous un élément incontournable du patrimoine gastronomique français. On le trouve sous plusieurs formes, qui dépendent du mode de cuisson : le foie gras cru, le foie gras mi-cuit et le foie gras en conserve.

Le foie gras cru se consomme chaud, généralement poêlé. On l'utilise également pour faire des terrines maison. On le trouve conditionné sous vide dans les supermarchés ou frais sur les marchés. Au moment de Noël, les amateurs le préparent à l'avance : chacun a sa recette, ses épices, ses petits secrets... On le prépare au sel ou au bain-marie.

Le foie gras mi-cuit ou en conserve se présente entier ou en bloc. Le bloc de foie gras est constitué de morceaux agglomérés. Le foie gras entier est d'une qualité supérieure. Ces formes de foie gras se consomment froides.

LE SAVIEZ-VOUS ?

Pour plus de huit Français sur dix, le foie gras est indispensable à un repas de fête. Il existe du foie gras de canard et du foie gras d'oie.

La célèbre crème brûlée se décline également en version salée, comme cette crème brûlée au foie gras.

AVEC QUELS PRODUITS ASSOCIER LE FOIE GRAS ?

Les fruits se marient très bien avec le foie gras : les fruits frais (figues, poires, raisins), mais aussi les fruits secs (abricots, dattes, pruneaux) et les compotes, les chutneys, etc.

QUELS PAINS POUR SUBLIMER LE FOIE GRAS ?

Un pain de campagne, un pain brioché, un pain aux fruits ou un pain d'épices. Quoi qu'il en soit, le pain est légèrement grillé pour équilibrer le moelleux du foie gras. Vous pouvez superposer des tranches de pain toastées, des tranches de magret de canard, quelques feuilles de salade et de fines tranches de foie gras, façon club sandwich... ou encore couper des figues, y ajouter un peu de confit d'oignons et des copeaux de foie gras, ou de petites tranches de foie gras poêlées.

ALAIN SARDE PRÉSENTE

La Bûche

UN FILM DE DANIÈLE THOMPSON

SABINE AZÉMA
EMMANUELLE BÉART
CHARLOTTE GAINSBOURG
CLAUDE RICH
FRANÇOISE FABIAN
CHRISTOPHER THOMPSON
JEAN-PIERRE DARROUSSIN
AVEC ISABELLE CARRÉ
ET SAMUEL LABARTHE
MUSIQUE ORIGINALE MICHEL LEGRAND

FAISONS LE POINT

LA BÛCHE

Comédie française de Danièle Thompson (1999)
Un repas de Noël réunit trois sœurs et leurs parents, divorcés.

PIÈCE MONTÉE

Comédie romantique française de Denys Granier-Deferre (2010)
Le récit d'une journée de mariage qui finit en règlement de comptes.

ÉCRITURE CRÉATIVE 

1 **Choisissez un des personnages des affiches ci-dessus et faites-lui raconter le repas (de Noël ou de mariage) auquel il participe.**

JEU DE RÔLES

2 **Vous organisez un repas pour fêter l'anniversaire d'un de vos proches.**

- **A** veut aller au restaurant.
- **B** préfère organiser un repas à la maison.
- **A** veut inviter beaucoup de monde.
- **B** préfère inviter seulement les proches.

Mettez-vous d'accord !

TESTONS NOS CONNAISSANCES

3 **Que signifie un repas « copieux » ?**

....

4 **Vrai ou Faux ?**

a. Apéri est le diminutif d'apéritif. V ◯ F ◯
b. Le foie gras se mange chaud ou froid. V ◯ F ◯

5 **Quel est le dessert que l'on mange habituellement à Noël ?**

....

6 **À quelle occasion envoie-t-on des faire-part ?**

....

7 **Citez une expression que l'on peut dire en trinquant.**

....

8 **Anne-Sophie Pic se définit comme une « funambule des saveurs ». Pourquoi ?**

....

9 **Citez deux choses que l'on peut faire avec de la pâte à choux.**

....

....

8 • PARLER DE CE QU'ON MANGE

DÉCOUVRIR

La critique gastronomique

Destiné aux premiers automobilistes, le *Guide rouge* Michelin naît en 1900, et devient la référence en matière de gastronomie.

MANGER, ET EN PARLER !

En France, la cuisine est partout ; dans la maison, dans les librairies, dans les médias... On partage des recettes, bien entendu, mais on parle aussi des produits, de ceux qui les fournissent, du chef, du mode de cuisson, du souvenir attaché à tel ou tel plat, de la manière dont on cuisine soi-même, de l'émotion ressentie lors de la dégustation. À table, on commente ce qu'on est en train de manger, on parle de ce qu'on va manger, de ce qu'on a mangé hier, la semaine dernière, lors de son dernier voyage, lorsqu'on était enfant...
Et il y a des gens dont c'est le métier : ce sont les critiques gastronomiques, les journalistes culinaires, les inspecteurs de guides célèbres...

COMMENT DEVIENT-ON CRITIQUE GASTRONOMIQUE ?

Pour devenir critique gastronomique, il faut bien entendu être passionné de cuisine. Il faut avoir une grande connaissance des produits et de la manière dont on peut les cuisiner, puisque le critique ne doit pas seulement juger un plat ; il doit aussi comprendre comment il a été préparé, les techniques qui ont été employées et évaluer si celles-ci sont maîtrisées.
Le critique gastronomique doit avoir le goût des voyages. C'est un métier où l'on rencontre beaucoup de gens, il faut donc également apprécier particulièrement le contact humain.
Mais il est avant tout nécessaire d'avoir un talent d'écriture et d'être capable de réussir à transmettre une émotion. Il faut également arriver à mettre des mots sur ce que les chefs ont voulu faire. Le critique publie ses analyses dans un journal, un magazine spécialisé, un blog, ou un guide gastronomique.
Même si ce n'est pas obligatoire pour exercer ce métier, il est très utile de suivre une formation universitaire en Métiers des arts culinaires et des arts de la table ainsi qu'une formation de journalisme.

PROFESSION : INSPECTEUR DU GOÛT

Découvrez le quotidien d'un inspecteur du Guide Michelin.

LE SAVIEZ-VOUS ?

Les critères d'évaluation des inspecteurs du Guide Michelin sont les suivants :
1. la qualité des produits
2. la maîtrise des cuissons et des saveurs
3. la personnalité du chef dans ses plats
4. le rapport qualité-prix
5. la constance de la prestation dans le temps.

1 Retrouvez dans le texte une expression qui exprime :

a. le but : ....
b. la cause : ....
c. l'opposition : ....
d. l'obligation : ....
e. la conséquence : ....

« Le gastronome sera non celui qui sait le plus, mais celui qui parle le mieux. »

Pascal Ory, historien

EXTRAIT DU *GAULT & MILLAU*

Clarence Hôtel, Lille • 15/20 • 3 toques

Dans ce cadre plutôt chic (un hôtel particulier du XVIIe siècle, des salles aux murs recouverts de boiseries et agrémentées de scènes de chasse, parquet, nappages épais...) sans être pesant, les assiettes n'en rajoutent pas, affichant un esprit presque bourgeois (la tourte à la viande, plat signature du chef, en est un parfait exemple) mais surtout jamais démonstratif, comme si le chef voulait presque s'effacer devant la qualité des produits, comme sur les belles langoustines servies en entrée avec petits pois à la menthe, avocat et sauce pistache.

Le *Gault & Millau* est un guide rédigé à l'origine par Henri Gault et Christian Millau. Le guide octroie une note sur vingt ou des toques.

❷ Écriture créative 

Sur le modèle ci-dessus (description du cadre puis de la cuisine), écrivez un texte de présentation de votre restaurant préféré.

Le classement du *Gault & Millau*

Tables exceptionnelles (de 19,5 à 19/20)	
Très grandes tables (de 18,5 à 17/20)	
Grandes tables (de 16,5 à 15/20)	
Tables de chefs (de 14,5 à 13/20)	
Bonnes tables (de 12,5 à 11/20)	
Bonnes adresses (de 10,5 à 10/20)	Établissement sans toque

« Notre rôle, c'est d'être un guide du consommateur qui empêche que l'on se trompe de porte.
Et pour juger un restaurant, il faut en connaître mille, savoir si ce qu'on y mange a déjà été copié mille fois, c'est de la pratique. »

Gilles Pudlowski, critique, auteur du guide *Pudlo*.

LE SAVIEZ-VOUS ?

Jean Anthelme Brillat-Savarin (1755-1826) est l'un des premiers à définir la gastronomie dans son livre majeur : *Physiologie du goût, traité de science culinaire*.
C'est lui qui a popularisé le mot « convivialité ».

« Dis-moi ce que tu manges, je te dirai ce que tu es. »

Brillat-Savarin

❸ Qu'en dites-vous ? 

Êtes-vous d'accord avec l'opinion des frères Pourcel, chefs étoilés, au sujet des sites qui proposent à chacun de donner son avis sur les restaurants ?

« Un réseau social gastronomique, dans l'esprit, c'est une bonne idée. Ce qui est plus inquiétant, c'est lorsque l'on propose aux internautes de se prendre pour des critiques gastronomiques [...]. Les gourmets d'un jour sans expérience vont pouvoir se croire gastronomes expérimentés. »

Jacques et Laurent Pourcel

Le succès des blogs et des émissions culinaires

Les émissions culinaires invitent le téléspectateur dans le secret des cuisines des chefs.

LA CUISINE EST L'UN DES PREMIERS LOISIRS CULTURELS DES FRANÇAIS

Les Français ont toujours été très attachés à la gastronomie et ils semblent la redécouvrir depuis le début des années 2000. L'approche de la cuisine s'est démocratisée. On se sent autorisé à en parler, à partager, à donner des conseils, même si on n'est pas un chef étoilé. Critique gastronomique est certes une profession, mais de plus en plus d'amateurs partagent leurs avis, leurs conseils pratiques, leurs trucs et astuces, leurs bonnes adresses de restaurants, de petites épiceries, de producteurs. La culture gastronomique se développe et prend des formes de plus en plus diverses. Depuis la fin du XXe siècle, c'est évidemment aussi sur Internet que se développe cet intérêt pour la gastronomie, par le biais de sites, de blogs (il existe des milliers de blogs culinaires francophones aujourd'hui), de sites de photos en partage, et par les réseaux sociaux. Les émissions culinaires se multiplient, elles aussi, à la radio comme à la télévision. Dans les librairies, on trouve de plus en plus d'ouvrages pratiques consacrés à la cuisine, pour toutes les tranches d'âge, pour les débutants ou les cuisiniers confirmés.

« Le discours gastronomique sert à faire évoluer les modes culinaires. »

Pascal Ory, historien

1 Lisez le texte et répondez aux questions.

a. Qu'est-ce qui a changé dans l'approche de la cuisine ces dernières années ? ……………………

b. Quels types d'informations se partagent les amateurs de gastronomie ? ……………………

c. Quels médias sont utilisés pour partager ces informations ?

……………………

L'émission culinaire *On va déguster* sur France Inter (1 million d'auditeurs chaque semaine) a été déclinée en livre.

LA CUISINE À LA TÉLÉVISION

La cuisine apparaît à la télévision à partir de 1953, avec l'émission *Art et magie de la cuisine* où Raymond Oliver, le chef du restaurant étoilé parisien *Le Grand Véfour*, cuisine sous les yeux des téléspectateurs et leur donne ses trucs de chef.

Aujourd'hui, il y a de nombreuses émissions culinaires sur le petit écran. Dans certaines, comme *Top chef* ou *Master chef*, des candidats, amateurs ou professionnels, sont mis en compétition et jugés par des chefs reconnus. Dans d'autres émissions, on peut apprendre à réaliser pas à pas une recette de chef, avec ses conseils en direct, comme dans *Dans la peau d'un chef*, présentée par le pâtissier Christophe Michalak. Il existe enfin des émissions qui font voyager dans toutes les régions de France et dans le monde, à la découverte de cuisiniers, de producteurs, de tous les métiers de bouche : *Les escapades de Petitrenaud* ou *Les carnets de Julie*, proposés par l'auteur de best-sellers culinaires Julie Andrieu.

LES MAGAZINES CULINAIRES

Même si on ne réalise pas toutes les recettes qu'elles proposent, les revues de cuisine permettent en tout cas de se régaler visuellement ! Les titres de magazines se multiplient. *Cuisine et vins de France*, créé en 1947 par le critique Curnonsky, existe toujours, mais on en trouve bien d'autres en kiosque aujourd'hui : *Elle à table* qui propose des recettes, mais parle plus largement d'art de vivre, *Saveurs*, *Zeste*, *Fou de Pâtisserie*, pour la cuisine de tous les jours, et des magazines plus haut de gamme comme *Thuriès* ou *Arts et gastronomie* ou encore des parutions à mi-chemin entre le magazine et le livre, comme *180°C*, par exemple.

❷ Qu'en dites-vous ? 

- Existe-t-il ce genre de magazines dans votre pays ?
- Quels contenus attendez-vous de cette presse ?
- Quelle est l'importance des photos dans ces publications ?

ÉCRITURE CRÉATIVE 

❸ Participez à l'émission *Un dîner presque parfait*.

Cinq cuisiniers amateurs, passionnés de gastronomie, s'invitent à dîner chez eux à tour de rôle. Chacun prépare une soirée thématique. À la fin du repas, les invités attribuent une note à leur hôte pour l'ensemble de la soirée. Ils notent la qualité de la cuisine, la décoration de la table et l'ambiance générale de la soirée.

Vous décidez de participer à cette émission. Rédigez une fiche sur laquelle vous notez le thème de votre soirée, la façon dont vous décorez la table, les recettes que vous préparez (rédigez entièrement la recette de l'entrée, du plat ou du dessert) et proposez une courte animation pour divertir vos invités. Pensez également à deux ou trois sujets de conversation pour animer le repas. Que le meilleur gagne !

BLOGUEUSE GOURMANDE

Jacqueline Mercorelli, *alias* Mercotte, est un exemple de ces passionnés de cuisine dont les avis sont diffusés au plus grand nombre dans différents domaines de la gastronomie. En effet, Mercotte, blogueuse depuis 2005, est aujourd'hui devenue critique culinaire, animatrice de télévision, chroniqueuse radio, auteur, etc. Autant de moyens pour elle de partager ses trucs de cuisine collectés lors de ses rencontres avec des chefs de renom.

LA CUISINE DE MERCOTTE 

Découvrez le blog de Mercotte.

LE POINT DE VUE D'UNE QUÉBÉCOISE 

❹ Écoutez le témoignage de Julia, Québecoise installée en France (audio 21), et dites à quel jeu elle joue avec les Français.

COMMENT DIRE ?

Autour d'une table, d'un plat

« Ce que les repas ont d'importance, ici, en France ! On se prépare pour passer à table, on commente ce qu'on mange, on critique ce qu'on a mangé et on parle du prochain festin ! »

Katerine Pancol
(*Un homme à distance*, 2002)

PARLER EN MANGEANT, MANGER EN PARLANT

Un repas français digne de ce nom se prend autour d'une table, avec des convives. Même si la nourriture est simple et que l'on mange « à la bonne franquette », la notion de partage est importante. Bien sûr, le plaisir de la table est lié à la qualité de la cuisine : plus on se régale, mieux c'est ! Mais ce plaisir est plus grand si on a quelqu'un avec qui en parler. Il n'y a probablement qu'en France que l'on parle autant de nourriture et d'expériences culinaires durant le repas ! Les autres sujets de conversation sont, en vrac : le travail, le déroulé de la journée, les devoirs des enfants, la famille et les amis, l'actualité, les loisirs (les livres que l'on a lus, les matchs que l'on a vus, les films que l'on veut voir, les séries télé dont on est fan), les souvenirs et, malgré les disputes que cela peut entraîner, la politique.

LANGUE

ON DIT :
discuter (*vi*) : bavarder ;
discuter **de** quelque chose : échanger des idées sur...
discuter quelque chose : critiquer ou contester.

EXPRESSIONS

« Recevoir à la bonne franquette » : recevoir avec simplicité, sans cérémonie.

1 À quels sujets de conversation évoqués dans le texte correspondent les répliques suivantes ?

J'ai largement préféré la saison 1 !
a. ....
....

Ça me rappelle le magret qu'on a mangé dans les Landes, un délice !
b. ....
....

Et Antoine, qu'est-ce qu'il devient ?
c. ....
....

Tu as passé une bonne journée ?
d. ....
....

Si, je t'assure, ils en ont parlé aux infos.
e. ....
....

« La table, c'est l'endroit de détente et de convivialité par excellence... C'est pourquoi, il faut également utiliser son imagination pour venir compléter les efforts de la cuisine. »

Bernard Loiseau, chef cuisinier

2 Associez chaque réplique avec la ou les réponses possibles.

- Bon appétit !
- Je te/vous ressers ?
- Il reste du gâteau ? J'en reprendrais bien une part.
- Passe-moi le sel, s'il te plaît.

- Volontiers, c'est délicieux.
- Merci ! À toi/vous aussi.
- Non merci. Je garde une place pour le dessert.
- Tiens, voilà !
- Non merci, je n'ai plus faim.

ALORS, C'EST COMMENT ? 

3 Écoutez les commentaires (audio 22) et complétez les phrases.

a. C'est ...., ça donne envie ; j'en ai l'eau à la .... !

b. Hmmm, c'est bon, c'est très bon, c'est vraiment très bon, très très bon. En fait, c'est ...., c'est savoureux, c'est excellent, exquis, ... En un mot, c'est divin !

c. J'aime beaucoup. C'est ...., léger ; à la fois .... à l'intérieur et croquant sur le dessus. J'en reprendrais volontiers un morceau.

d. Ouais, c'est pas mal ; c'est ...., sans plus. Je dirais que ça se laisse manger, mais c'est un peu .... à mon goût, ça manque de sel.

e. Beurk, c'est pas bon, vraiment pas bon. Je dirais même que c'est ...., très mauvais, c'est infect, exécrable. C'est immangeable : très gras et trop .... Excuse mon langage, mais c'est dégueulasse !

f. Il en reste ? Ah, oui, j'en veux bien encore une part. J'aime ce mélange .... et .... Tu me donneras la recette ?

EXPRESSIONS

Parler, c'est aussi « bavarder », « papoter » (familier), « Tailler une bavette » (familier), « discuter le bout de gras » (familier), « parler de tout et de rien », « parler de la pluie et du beau temps » et même « raconter des salades » (mentir).

LES TROIS MESSES BASSES 

Découvrez une nouvelle qui met l'eau à la bouche...

« Il n'y a que les mauvais cœurs qui médisent à table, car rien ne rend plus indulgent que la bonne chère. »

Grimod de La Reynière

Manger, oui, mais comment ?

Un repas du jeune Gargantua, illustration de Gustave Doré pour l'œuvre de François Rabelais, 1851.

1 Attribuez une étiquette à chaque groupe de verbes.

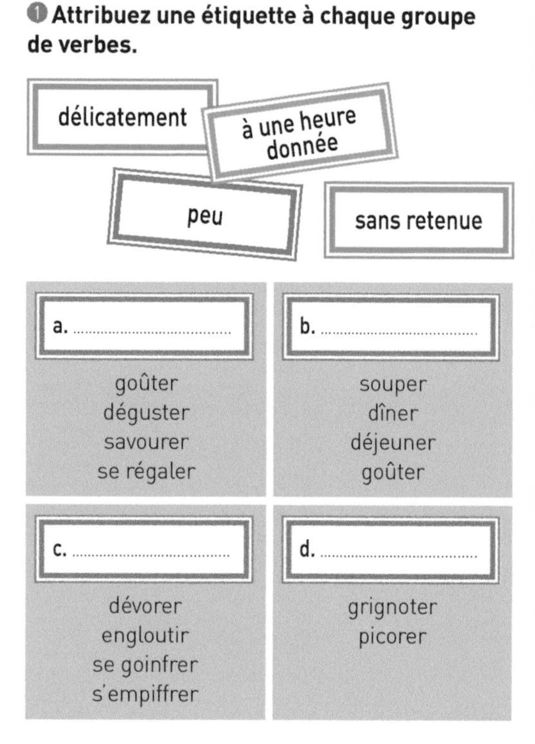

EXPRESSIONS

« Avoir un appétit d'oiseau » : avoir un petit appétit
« Avoir un appétit d'ogre » : avoir un gros appétit, être affamé
« Manger comme un cochon » : manger salement
« Avoir une faim de loup » : avoir très faim
« Avoir un bon coup de fourchette » : manger beaucoup.

2 Quel mangeur êtes-vous ? Choisissez la définition qui vous correspond le mieux.

Gourmet : ○
personne qui sait distinguer et apprécier la bonne cuisine et les bons vins.

Gourmand, gourmande : ○
qui aime manger de bonnes choses.

○ **Gastronome :**
personne qui aime et apprécie la bonne chère.

○ **Glouton, gloutonne :**
qui mange beaucoup et avec avidité.

○ **Goinfre :**
(*familier*) qui mange beaucoup, avidement et salement.

LE PRODUIT

La truffe

LE DIAMANT NOIR

La truffe est un produit d'exception, malgré l'aspect un peu curieux de ce champignon ! La truffe est mystérieuse... Peut-être parce qu'on la trouve sous terre et qu'elle naît de la rencontre d'un sol (calcaire) et d'un arbre, un chêne ou un noisetier, le plus souvent. La truffe noire se développe au printemps et arrive à maturité plusieurs mois plus tard. Elle est alors ramassée à l'aide d'un chien truffier, d'un cochon ou... de mouches, dont le vol indique la présence du champignon ! Il existe plusieurs espèces de truffes : on parle de la truffe noire du Périgord, de la truffe de Provence, de la truffe de Bourgogne, de celle du Quercy... Le prix d'une truffe sur le marché dépend de sa taille, de son espèce et de sa qualité. La truffe noire brute peut aller de 500 € à 1 000 € le kilo, ce qui fait d'elle un produit de luxe.

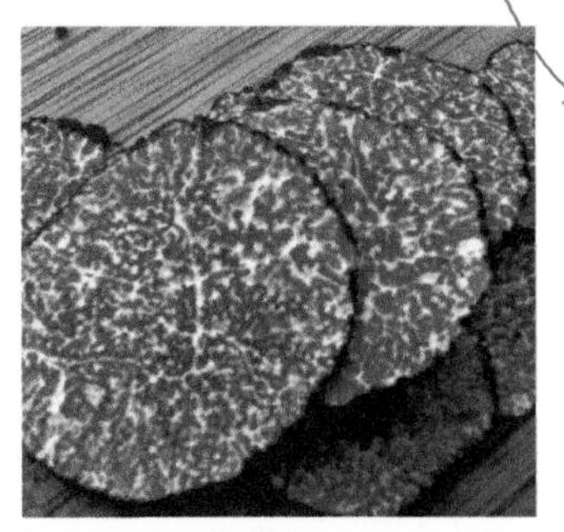

Lamelles de truffe fraîche.

LANGUE

La truffe en chocolat est une friandise.
La truffe du chien est son nez.

TRUCS ET ASTUCES

Pour bien choisir une truffe, il faut qu'elle soit ferme et parfumée.
Une truffe sans odeur est une truffe qui n'est pas mûre.
Sa température de cuisson ne doit pas dépasser 40°C.
Prévoir de 10 à 15 grammes par personne.

Sous quelle forme peut-on trouver la truffe ?
On peut l'acheter et la consommer fraîche ou en conserve, entière ou en morceaux. On peut trouver des brisures ou des pelures de truffe. Et pour parfumer ses plats à moindre frais, on peut utiliser une huile de truffe !

Comment conserver la truffe fraîche ?
On peut la congeler, la stériliser, ou en faire un beurre de truffe : il faut mélanger à la fourchette 125 g de beurre et 35 g de truffe, et laisser ce beurre deux ou trois jours au réfrigérateur. Il est ensuite possible de le congeler et d'en avoir ainsi toujours à disposition !

Petites recettes
Comment déguster très simplement ce produit d'exception ?
Faites-en une tartine ! Ingrédients : des lamelles de truffe fraîche, de l'huile ou du beurre, de la fleur de sel. Faites griller légèrement une tranche de pain de campagne. Versez un filet de très bonne huile d'olive sur le pain encore chaud. Posez des lamelles de truffes dessus. Ajoutez un peu de fleur de sel et dégustez tiède.
Une recette... magique : l'omelette aux truffes, sans truffes !
Placez une truffe dans un récipient hermétique avec des œufs.
Le lendemain, faites une omelette avec ces œufs qui seront chargés des parfums de la truffe.

LE SAVIEZ-VOUS ?

En saison (de novembre-décembre à février-mars), chaque semaine, la récolte est vendue sur les marchés aux truffes des régions de production : Richerenche, Lalbenque, Carpentras, Sarlat, etc.

« Elle peut, en certaines occasions, rendre les femmes plus tendres et les hommes plus aimables. »

Alexandre Dumas

EXPRESSIONS

« Être truffé de... » : être rempli de...
« C'est une truffe ! » (fam.) : ce n'est pas une personne très intelligente.

Saint-Jacques poêlée, rosace de truffes et de courge butternut, sauce crémeuse

INGRÉDIENTS
(POUR 8 PERSONNES)

Pour les coquilles
8 grosses coquilles Saint-Jacques
30 g de beurre clarifié

Pour la rosace
1 truffe fraîche en saison (sinon 2 truffes en boîte)
1 courge butternut
30 g de beurre
Sel, poivre

Pour la sauce crémeuse
30 ml d'huile
1 échalote ciselée
50 ml de vin blanc sec
200 ml de fond de volaille
30 ml de crème liquide
120 g de beurre taillé en cubes
Sel

Décor
1 barquette de shiso

USTENSILES
Un emporte-pièce de 4 cm de diamètre
Un mixer plongeant
Une poêle
Un cercle de présentation
Un chinois
Un fouet

TEMPS DE PRÉPARATION
2 h 15

TEMPS DE CUISSON
30 min (sauce), 5 min (courge), 3 min (coquilles)

PRÉPARATION DES COQUILLES

Ouvrir les coquillages. Enlever délicatement les coquilles supérieures, retirer les noix de la coquille inférieure avec leurs barbes (membranes accrochées autour de la noix) en prenant soin de ne pas abîmer les noix. Enlever délicatement les barbes autour des noix et les réserver dans un bol. Rincer les noix sous un filet d'eau froide afin d'éliminer le sable restant. Retirer le muscle situé contre la noix, réserver au réfrigérateur.

PRÉPARATION DE LA SAUCE CRÉMEUSE

Éliminer la partie noire située sur les barbes et les rincer à l'eau courante en les frottant entre les mains.
Saisir les barbes à l'huile sur feu vif quelques minutes avant d'ajouter l'échalote.
Déglacer avec le vin blanc, laisser réduire jusqu'à consistance sirupeuse.
Ajouter le fond de volaille et laisser réduire de moitié, sur feu doux, 15 minutes environ, puis ajouter la crème liquide.
Porter à ébullition et incorporer les cubes de beurre un à un en fouettant bien.
Passer au chinois, rectifier l'assaisonnement.
Passer la sauce au mixer plongeant pour que la sauce soit bien montée.
Réserver au chaud.

Une recette proposée par Chef Éric Briffard, Le Cordon Bleu, Paris

PRÉPARATION DE LA ROSACE DE TRUFFES ET DE COURGE BUTTERNUT

Tailler la truffe en fines lamelles.
Tailler les parures en brunoise et les réserver pour parsemer sur la sauce crémeuse.
Éplucher la courge, l'épépiner et la tailler en tranches de 3 à 5 mm d'épaisseur. Détailler des ronds de courge butternut à l'emporte-pièce (environ dix par assiette).
Faire fondre le beurre, puis ajouter les ronds de courge butternut. Couvrir d'eau à hauteur et faire cuire doucement pendant 5 minutes. Égoutter et assaisonner.

La coquille Saint-Jacques fermée.

CUISSON DES SAINT-JACQUES

Faire chauffer le beurre clarifié dans une poêle et saisir les noix des Saint-Jacques afin qu'elles soient légèrement dorées en les retournant une fois après 2 ou 3 minutes de cuisson selon leur taille.

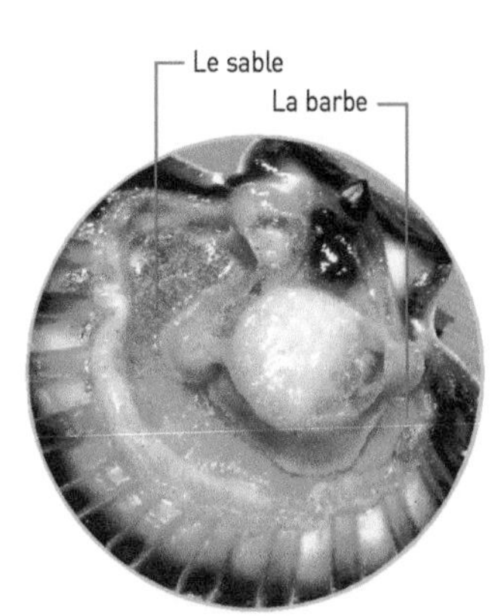

La coquille ouverte.

PRÉSENTATION

Dans un cercle posé sur une assiette, faire une rosace en intercalant disques de butternut et lamelles de truffe, puis retirer délicatement le cercle. Déposer une noix de Saint-Jacques au milieu et décorer de feuilles de shiso. Verser la sauce crémeuse autour et parsemer de brunoise de truffe.

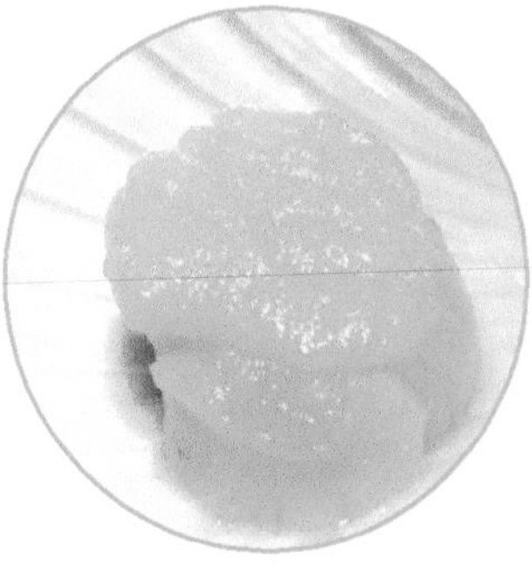

La noix.

TRUCS ET ASTUCES

Pour comprendre la recette

Pour obtenir du beurre clarifié : faire fondre le beurre et retirer la substance blanche (la caséine + le petit lait). Pourquoi utiliser du beurre clarifié ? Le beurre, sans la caséine et le petit lait, résiste aux hautes températures de cuisson.

Du shiso : herbe originaire du Japon dont le goût rappelle un peu celui de la menthe.

Déglacer : verser un liquide (eau, crème, vin, bouillon...) au fond d'un plat encore chaud (poêle, casserole, etc.) où vient de cuire une viande, par exemple. Remuer, détacher les sucs (ce qui reste de la cuisson de la viande) et récupérer le jus goûteux obtenu pour accompagner le plat.

Incorporer : mêler intimement des ingrédients pour obtenir un mélange homogène.

Réserver : mettre de côté en attendant de s'en servir.

Parsemer : couvrir par endroits.

Détailler : couper en petites quantités.

Un emporte-pièce : ustensile qui permet de découper une forme précise (un rond, une étoile etc.)

Un cercle de présentation : ustensile servant à mettre en forme une préparation culinaire.

LE SAVIEZ-VOUS ?

Il existe de nombreuses manières de consommer la Saint-Jacques : crue (en tartare ou en carpaccio), ou cuisinée (en brochette, en gratin, etc.).

LE PORTRAIT

Chihiro Masui, critique gastronomique

Chihiro Masui est écrivain et journaliste culinaire. Elle quitte le Japon enfant, va vivre à New-York, Londres, puis Paris, et repart au Japon après ses études. C'est une cuisinière gourmande et curieuse, qui a beaucoup voyagé et qui connaît bien les cuisines du monde. Elle écrit des articles dans la presse internationale sur la gastronomie, l'art de vivre et sur de nombreux grands chefs français. De retour en France, elle participe à la réalisation d'émissions culinaires, aussi bien en France qu'au Japon. Elle partage ses expériences gastronomiques sur un blog et publie des ouvrages de cuisine depuis 2004.

5 QUESTIONS À CHIHIRO MASUI

D'où vous vient cette passion pour la cuisine et pour la cuisine française ?

Je ne pense pas être particulièrement passionnée par la cuisine. Mais l'humain mange deux à quatre fois par jour. Autant y trouver du plaisir !

Comment choisissez-vous les restaurants dont vous allez parler ?

À l'envie du moment. Parce que j'en ai entendu parler par d'autres, parce que je connais directement ou indirectement le chef, parce que le nom m'attire.

Quel est le rôle d'un critique gastronomique ?

Donner aux gens qui ne sont pas du milieu culinaire la possibilité de connaître de nouveaux lieux, leur permettre de choisir quel nouveau lieu découvrir. Et plus généralement, dans le cas de ceux qui écrivent sur la gastronomie sans forcément être critique, donner à ceux qui n'ont pas la possibilité d'aller dans ce lieu, de l'imaginer. Transmettre un peu de rêve.

Quelles sont les qualités nécessaires à un critique gastronomique ?

Écrire simplement, sans fioritures, mais avec précision, pour que le message que l'on veut faire passer soit lisible pour tout le monde, y compris ceux qui n'ont pas forcément un niveau scolaire élevé, car tout le monde mange !

Pensez-vous que les Français ont un rapport particulier avec la gastronomie ?

Oui, je pense que c'est une fierté nationale. En vacances en Asie, j'ai remarqué que lorsqu'un restaurant est cité dans un guide, il y a plus de clients français que de clients italiens, allemands, américains... Les Français sont plus curieux et plus ouverts.

« Ce que j'aime le plus dans la cuisine française ? Les jus, les sauces et la pâte feuilletée ! »

Chihiro Masui

LE SAVIEZ-VOUS ?

Il existe en réalité cinq saveurs : l'acide, l'amer, le sucré, le salé et... *l'umami*. Ce mot japonais signifie littéralement « goût savoureux ». C'est une saveur qui existe dans toutes les civilisations, mais que les Occidentaux ont du mal à qualifier et qui reste un peu mystérieuse... Chihiro Masui tranche ainsi la question : « L'umami, c'est le goût de ce qui est bon ! ».

DES SUSHIS À PARIS 

Découvrez Chihiro Masui, dans son rôle de critique gastronomique, qui teste un restaurant japonais à Paris.

FAISONS LE POINT

UNE AFFAIRE DE GOÛT.
Comédie dramatique française
de Bernard Rapp (2000)

Frédéric Delamont, un puissant industriel, raffiné et original, rencontre dans un restaurant Nicolas Rivière, un jeune serveur. Il lui propose un emploi un peu spécial : devenir son goûteur attitré, contre un salaire élevé.

À VOTRE AVIS ?

- En quoi consiste le métier de goûteur ?
- Pour quelle raison peut-on faire appel à un goûteur ?

JEU DE RÔLES

A et B veulent aller dîner ensemble et doivent choisir un restaurant. Pour pouvoir se mettre d'accord, chacun doit préciser ce qui compte pour lui/elle : le style de cuisine, l'origine et la qualité des produits, la réputation du chef, le prix...

TESTONS NOS CONNAISSANCES

❶ **Qui suis-je ? (indice : une profession)**
Passionné de cuisine et très instruit sur le sujet, je suis capable de traduire en mots les émotions que je ressens lors de mes expériences et les saveurs des plats que je déguste.
Mon avis se traduit généralement en note.
Je suis ....

❷ **Vrai ou faux ?**
a. La cuisine est l'un des premiers loisirs culturels des Français. V◯ F◯
b. La cuisine apparaît à la télévision française en 1953, avec l'émission hebdomadaire *Art et magie de la cuisine* du chef Raymond Oliver. V◯ F◯

❸ **Pour quelle(s) raison(s) la truffe est-elle appelée « diamant de la cuisine » ?**

....

❹ **Qu'est-ce qu'une truffe quand ce n'est pas un aliment ?**

....

❺ **Complétez les expressions avec des noms d'animaux.**
- avoir un appétit d'.......... = avoir un petit appétit
- manger comme un .... = manger salement
- avoir une faim de .... = avoir très faim

❻ **Citez deux verbes synonymes de manger.**

....

❼ **Quel verbe correspond à la définition suivante ?**
Mêler intimement des ingrédients pour obtenir un mélange homogène.
a. éplucher • **b.** incorporer • **c.** réserver

❽ **Quel est l'intérêt de clarifier le beurre ?**

....

L'évolution de la gastronomie

Au XIXe siècle, les pièces de viandes sont présentées entières et décorées.

❶ **Relevez dans le texte :**

a. Trois adjectifs qui caractérisent la cuisine du Moyen Âge.

....

....

b. Trois ingrédients introduits dans la gastronomie française à la Renaissance.

....

....

c. Un type de sauces à la mode au XVIIe siècle.

....

....

d. Deux adjectifs qui caractérisent la cuisine des années 1970.

....

....

LA CUISINE FRANÇAISE, D'HIER ET D'AUJOURD'HUI...

La cuisine du Moyen Âge était aromatique, acide et légère. On utilisait des épices, des amandes, du gingembre... À la Renaissance, on assiste aux débuts d'une cuisine plus élaborée, avec des produits provenant du Nouveau Monde : le chocolat, le haricot, le piment, puis, plus tard, la tomate, le maïs, la pomme de terre.

Au XVIIe siècle, les épices sont remplacées par les herbes aromatiques : thym, laurier, persil, ciboulette, estragon et romarin. On privilégie les sauces grasses et onctueuses, qui s'adaptent mieux aux parfums délicats des herbes fraîches. On met en valeur les fruits et les légumes et on s'intéresse à la diététique.

Au XVIIIe siècle, Antonin Carême (1784-1833) fonde la grande cuisine raffinée. Il crée des pièces montées aux structures architecturales extraordinaires.

Au XIXe siècle, la pomme de terre devient majeure dans la gastronomie française et on découvre notamment la recette de la pomme de terre soufflée. Les desserts et les gâteaux deviennent incontournables pour les grandes occasions. Le sucre de canne remplace le miel qui reste très utilisé pour la confection de pâtisseries et de confiseries. La cuisine se codifie et devient ainsi accessible aux ménagères.

Dans les années 1970 apparaît la nouvelle cuisine, sous l'impulsion des critiques Henri Gault et Christian Millau. Plus simple, plus légère, elle préserve et respecte la saveur des produits. Parmi les chefs qui suivent cette voie, on trouve Michel Guérard qui souhaite faire une « cuisine minceur », Paul Bocuse, les frères Troisgros, Alain Senderens, Joël Robuchon...

LE GUIDE CULINAIRE 

Parcourez quelques pages du célèbre guide d'Escoffier.

LES LIVRES DE RECETTES À TRAVERS LE TEMPS

Moyen-Âge — *Le viandier*, de Taillevent. Le premier livre de cuisine française.

XIVe siècle — *Le ménagier de Paris*, écrit par un bourgeois pour sa jeune épouse. Un trésor en matière de cuisine médiévale.

1867 — *Le Livre de cuisine*, de Jules Gouffé. Premier livre de cuisine « moderne », avec les quantités et le temps de cuisson.

1902 — *Le guide culinaire* d'Escoffier, inventeur de la cuisine moderne et de la « cuisine légère ». L'ouvrage de référence pour les cuisiniers.

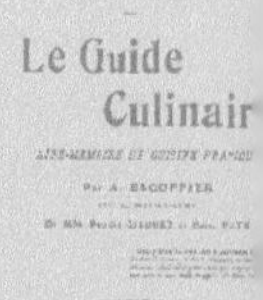

Aujourd'hui, on sert souvent à l'assiette et la présentation est dépouillée.

LES LIVRES DE RECETTE

La gastronomie française a connu bien des évolutions au fil des siècles : chaque génération de cuisiniers invente, innove, crée, réinterprète selon l'évolution de la société, les connaissances et les moyens techniques à sa disposition. Chaque cuisinier peut adapter le travail de ses prédécesseurs à son époque, grâce aux ouvrages culinaires qui transmettent les recettes qui, ainsi, traversent les siècles pour nous régaler aujourd'hui. Chaque grand chef a écrit « son » livre : Bocuse, Robuchon, Ducasse, Lenôtre, etc. À côté des ouvrages de chef, on trouve ceux des cuisiniers amateurs passionnés, des blogueurs et des blogueuses. De plus en plus de livres sont consacrés à un seul produit : les éclairs, les soupes, les macarons, les meringues, les babas, etc.

On trouve également des ouvrages où il est question de produits, de régions, de tendances, de traditions ; d'autres qui se préoccupent de bien manger au quotidien, et même des livres qui parlent de la chimie de la cuisine !

❷ Qu'en dites-vous ? 

- Consultez-vous des livres de recettes ou des blogs avant de préparer un plat ?
- Suivez-vous scrupuleusement une recette ?
- Avez-vous un carnet dans lequel vous écrivez ou collez des recettes ?
- Quelle est la recette que vous réussissez le mieux ? Celle qui vous pose problème ?
- Y a-t-il un ingrédient que vous utilisez souvent ?

LE SAVIEZ-VOUS ?

Joël Robuchon a été sacré « cuisinier du siècle » par Gault & Millau en 1990.

LE SAVIEZ-VOUS ?

Au XVIIe siècle, la technique du feuilletage de la pâte feuilletée est mise au point par La Varenne. C'est grâce à lui que nous mangeons des mille-feuilles aujourd'hui !

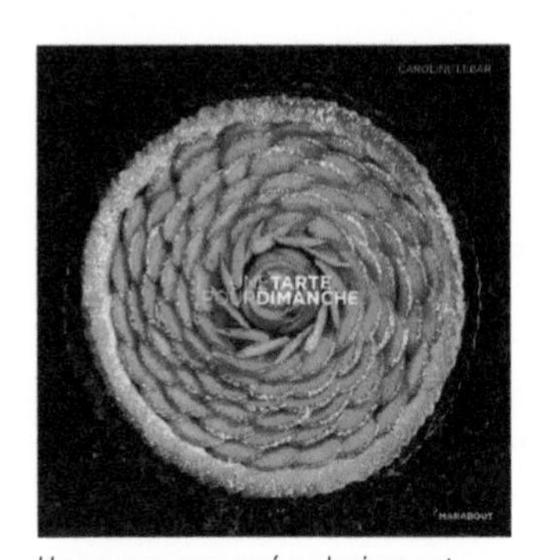

Un ouvrage consacré exclusivement à la tarte dominicale chère aux Français.

1932 — *Je sais cuisiner*, de Ginette Mathiot. 2000 recettes, un ouvrage indispensable depuis quatre générations !

1938 — Édition du premier *Grand Larousse gastronomique*, l'ouvrage de référence sur la gastronomie, son histoire et les techniques culinaires.

2011 — Toute la cuisine de Paul Bocuse en 800 pages.

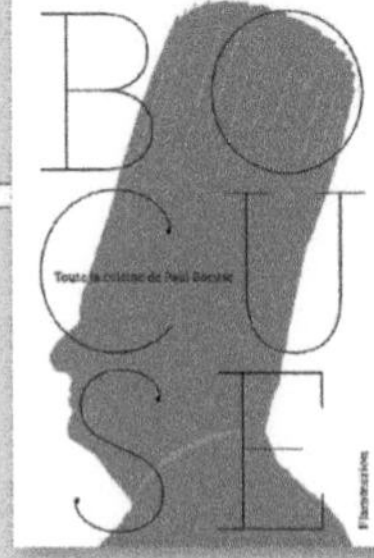

Les tendances de la cuisine

UNE CUISINE OUVERTE SUR LE MONDE

La cuisine française a toujours été ouverte sur le monde. Elle a si bien intégré les produits venus des quatre coins du monde qu'on en oublie parfois leur origine. Que serait le gratin dauphinois sans les pommes de terre ? La ratatouille provençale sans les tomates ? Et le cassoulet toulousain sans les haricots ? C'est impensable ! Or, ces trois légumes nous viennent des Amériques.

Dans les années 1970, avec la nouvelle cuisine, les grands chefs redécouvrent les produits exotiques et les métissages. Ils se mettent à parcourir la planète, et en rapportent des modes de cuisson, des décorations d'assiette. On assiste à l'élargissement de la gamme des épices, qui sont alors élevées au rang d'ingrédient. Les chefs contemporains y voient d'inépuisables sources d'inspiration.

Aujourd'hui, les traces des métissages culinaires sont partout, aussi bien dans les restaurants que dans les foyers français : on trouve de la pizza au roquefort, des tomates mozzarella, du couscous, des sushis à côté des plats plus traditionnels.

❶ Retrouvez dans le texte les synonymes des mots suivants.

a. L'extension : ....

b. La provenance : ....

c. L'invention, la création : ....

d. Le mélange : ....

LANGUE

Pour parler d'un sujet qui concerne la France et un autre pays, on utilise des adjectifs formés comme suit : la cuisine franco-chinoise, un restaurant franco-brésilien, une carte franco-allemande, un livre franco-japonais...

ON DIT : « dans le monde entier », « partout dans le monde ».

ON NE DIT PAS : « par tout le monde ».

EXPRESSIONS

« C'est dans les vieux pots qu'on fait la meilleure soupe » : les méthodes traditionnelles ont prouvé leur efficacité.

« L'épice c'est aussi le goût de l'autre : c'est le goût de l'étranger. »

Olivier Rœllinger, chef***

LA CUISINE FUSION

De plus en plus de chefs de la nouvelle génération proposent une fusion des cuisines françaises et étrangères, une tendance qui se retrouve à l'occasion dans la cuisine quotidienne des Français, curieux de découvrir ce que l'on mange dans d'autres pays. La chef étoilée Adeline Grattard utilise des techniques chinoises pour cuire et assaisonner des produits français d'exception dans son restaurant parisien le Yam'Tcha (qui désigne, en cantonais, la dégustation matinale de dim sum avec du thé) aux côtés de son mari hongkongais.

POIVRE, MOUTARDE ET SAUCE SOJA 

❷ Écoutez le témoignage (audio 23) et dites si la cuisine de cette famille vous semble ouverte sur le monde.

TENDANCES ET INNOVATIONS

La cuisine est un art, et elle n'échappe donc ni aux modes, ni aux nouvelles tendances. Elle évolue aussi grâce à l'apparition de nouvelles techniques, de nouveau matériel.

Parmi les tendances récentes, on peut citer la cuisine moléculaire : on introduit en cuisine des pratiques tirées de la chimie. On associe des ingrédients utilisés dans l'industrie agroalimentaire comme les gélifiants (agar-agar, gélatine), les épaississants (caroube, alginate de sodium), les émulsifiants (lécithine de soja), le sucre pétillant, etc. Ces expériences en cuisine, qui intéressent des chefs comme Pierre Gagnaire et Thierry Marx, sont maintenant accessibles au grand public grâce à des kits d'initiation.

Une autre tendance est la cuisine cryogénique. On utilise des gaz alimentaires qui permettent de refroidir très rapidement des aliments (jusqu'à -196 °C). Ces nouvelles tendances ont leurs défenseurs et leurs opposants !

Des matériels de cuisson innovants et précis sont mis au point, qui permettent de réduire l'utilisation des matières grasses (plancha, papillotes en silicone), de conserver la texture et les éléments nutritifs des aliments grâce à une cuisson basse température (nouveaux fours, machines à cuire sous vide).

L'évolution de la cuisine suit aussi l'évolution de nos modes de vie : les chefs s'emparent des concepts de *snacking* ou de *street food* et développent une offre raffinée (le capucin des frères Bras, le *bread maki* de Thierry Marx, etc.).

« La cuisine ne se mesure pas en termes de tradition ou de modernité. On doit y lire la tendresse du cuisinier. »

Pierre Gagnaire, chef***

❸ Retrouvez dans le texte les quatre tendances et innovations dans la gastronomie française aujourd'hui.

....

....

LE SAVIEZ-VOUS ?

Les tendances dans la cuisine des Français : faire venir un chef à la maison, les particularismes alimentaires, la cuisine « sans » (la cuisine sans gluten, la pâtisserie sans sucre ou encore la pâtisserie vegan, sans beurre, sans œufs ni lait) ; la remise au goût du jour des graines et légumineuses ; la présence du légume au cœur de l'assiette, et non plus en simple accompagnement de la viande ou du poisson.

AU CŒUR DE LA CUISINE : LE PRODUIT

La nouvelle génération de chefs défend une cuisine du produit : Jean-Marie Baudic, à Saint-Brieuc, pratique une cuisine d'instinct, audacieuse, autour des légumes et des produits de la mer qu'il travaille « sans les dénaturer, avec respect et authenticité ». Le chef étoilé Jean Sulpice, à Val Thorens, « met en scène la nature à travers une cuisine saine, inventive et authentique, tout en délicatesse. Une cuisine directe et sincère, pleine d'émotions ». Il travaille avec des producteurs locaux et sa cuisine est marquée par l'identité de son terroir, tout comme celle du chef étoilé Christophe Aribert, à Uriage, et bien d'autres aujourd'hui.

UNE NOUVELLE GÉNÉRATION DE CHEFS 

Découvrez les portraits de ces chefs qui innovent.

Les tendances de la cuisine

« On se doit d'être respecté comme chef, un point, c'est tout. Pour moi, le débat ne doit pas être posé en termes d'hommes ou de femmes, sinon nous, les femmes, on se victimise. »

Julia Sedefdjian, 21 ans, chef du restaurant *Les fables de la Fontaine*, 1 étoile en 2016.

LA CUISINE, UNE AFFAIRE DE FEMMES ?

À la maison, ce sont presque toujours les femmes qui cuisinent, mais elles ne sont que 25 % parmi les cuisiniers professionnels, et encore moins parmi les chefs étoilés. Pourtant, elles ne sont pas absentes du monde gastronomique où elles s'affirment et excellent. On les retrouve de plus en plus nombreuses dans le journalisme et l'édition culinaires, le stylisme et la photographie de cuisine, la sommellerie, la pâtisserie. Une nouvelle génération de femmes façonne la gastronomie d'aujourd'hui : inventive, simple et résolument moderne.

Après la première moitié du XXe siècle, où le phénomène des « mères cuisinières » était assez répandu, les femmes ont quasiment disparu des cuisines de la haute gastronomie française. Entre 1960 et les années 1980, les rares femmes chefs sont propriétaires de leur restaurant. Les femmes chefs ont dû batailler pour se faire une place dans ce milieu encore largement dominé par les hommes.

À partir des années 2000, on assiste à un regain général de la cuisine française ; elle devient tendance et attire une nouvelle génération de jeunes femmes. Sur les traces d'Hélène Darroze ou Anne-Sophie Pic, elles sont bien décidées à ne pas jouer les seconds rôles !

1 Répondez à la question posée dans le titre en utilisant les informations du texte.

....

Eugénie Brazier aux fourneaux.

LES MÈRES CUISINIÈRES

Dans la restauration, le surnom de « mère », est parfois utilisé pour désigner des femmes tenant un restaurant, en particulier dans la région lyonnaise. À l'origine, les « mères » étaient souvent d'anciennes cuisinières de maisons bourgeoises, qui ont ouvert des restaurants servant une cuisine généreuse, régionale et populaire.

Eugénie Brazier, dite « la Mère Brazier » a été la première femme à obtenir 3 étoiles au guide Michelin (en 1933) en même temps que Marie Bourgeois, suivie par Marguerite Bise en 1951 et Anne-Sophie Pic en 2007. Elle est aussi la première chef à obtenir deux fois trois étoiles.

2 Qu'en dites-vous ? 

- Dans votre pays, qui cuisine le plus à la maison : les hommes ou les femmes ?
- Pensez-vous que la cuisine soit un métier plus masculin que féminin ? Pourquoi ?

UNE HISTOIRE D'ÉTOILES ET DE FAMILLE

Partagez l'émotion d'Anne-Sophie Pic lors de l'annonce de sa troisième étoile.

LE PRODUIT

Les fruits et légumes oubliés

Ces plantes ou ces végétaux, qui poussaient en France autrefois, ont peu à peu disparu des étalages, à cause de la modernisation et de la standardisation. Ces aliments étaient plus rustiques, plus goûteux et avaient une valeur nutritionnelle plus riche que beaucoup de ceux que nous consommons actuellement. Leur disparition a entraîné une diminution de l'intensité du goût.

Grâce au mouvement bio notamment, on redécouvre ces légumes. En été, par exemple, on retrouve de nombreuses variétés de tomates qui avaient disparu, comme la « cœur de bœuf », en automne, des courges, comme le pâtisson, à nouveau au goût du jour. En hiver, ce sont les légumes racines qui reviennent sur nos tables : le topinambour, le rutabaga, le panais, le crosne ou le salsifis. Ces légumes, qui constituaient l'alimentation de base durant la seconde guerre mondiale, avaient presque disparu.

La fleur d'acacia ou la fleur de sureau se consomment à nouveau, en compote, en gelée, en confiture ou en tarte. De plus, elles ont des vertus médicinales. On redécouvre les fruits sauvages, comme les groseilles à maquereaux, les prunelles, ou encore les mûres. Certaines variétés de pommes disparues (il en existait plus de 10 000 variétés en France !) reviennent également sur nos étals.

SAVEURS OUBLIÉES 

3 Écoutez le document (audio 24) et associez chaque légume à la saveur qu'il rappelle.

1. Le panais •	• **a.** noix de coco, anis et fenouil
2. Le rutabaga •	• **b.** artichaut et noisette
3. Le cerfeuil tubéreux •	• **c.** saveur douce
4. Le navet boule d'or •	• **d.** pomme de terre et châtaigne
5. Le topinambour •	• **e.** pomme citronnée

RÉGALEZ-VOUS DE RACINES ! 

Apprenez à préparer une purée de topinambours et des chips de rutabaga.

TRUCS ET ASTUCES

On peut également remplacer les légumes utilisés traditionnellement dans certains plats par des légumes oubliés.
On remplace les pommes de terre du gratin dauphinois par des tranches de navets boule d'or, la purée de pommes de terre du hachis parmentier par une purée de panais et céleri, et les légumes du tian (tomates, courgettes, aubergines, oignons) par de fines tranches de légumes racines.
On peut faire de ces légumes une entrée de fête : un velouté de topinambours au foie gras, par exemple.

« La créativité naît de l'authenticité. »

Pierre Gagnaire, chef***

Modes et tendances

« Le Gault & Millau a édicté en 1973 les "10 commandements de la nouvelle cuisine". Quarante ans après, il y a des principes qui n'ont plus lieu d'être. Je pense notamment au numéro 6 : "Tu éviteras marinades, faisandages, fermentations." Pourquoi s'être privé de telles approches ? Le diktat du Gault & Millau est obsolète. »

Yannick Alléno, chef***

Selon le contexte, un commandement est un conseil, une recommandation ou un ordre. On trouve souvent des listes de commandements inspirés par ceux de la Bible : les 10 commandements du bon étudiant, du mariage, de l'amitié, etc. Chaque commandement s'adresse au lecteur ; il est écrit à la deuxième personne du singulier, au futur simple. En 1973, les critiques Gault & Millau avaient donné une nouvelle impulsion à la cuisine avec leurs « 10 commandements de la nouvelle cuisine ». Yannick Alléno leur répond en 2013.

PAR YANNICK ALLÉNO (2013)

1. Des produits frais, tu serviras.
2. Les saisons, tu respecteras.
3. Les produits de cueillette, tu mettras en avant.
4. Au végétal, tu t'intéresseras.
5. Du déroulé du repas gastronomique des Français, tu t'inspireras.
6. De l'apéritif, tu feras un instant fort.
7. Du service du pain, tu feras un moment particulier.
8. Un plat principal commun, tu imposeras comme centre du repas.
9. Le fromage, tu travailleras à ta façon pour faire un lien entre le salé et le sucré.
10. Dans les desserts, les saveurs tu rassembleras.
11. Tu ne revisiteras pas, mais tu inventeras, tu créeras.
12. Les nouvelles techniques, tu favoriseras.
13. Les outils de cuisson révolutionnaires, tu utiliseras.
14. Des extractions pour faire des jus, tu mettras au point.
15. Plutôt que d'évaporer, tu concentreras.
16. Tu fermenteras, tu faisanderas, tu marineras quand cela s'imposera.
17. Du service en salle, tu feras une priorité.
18. L'accord mets-vins, tu sublimeras.

1 Lisez les commandements de Yannick Alléno et répondez aux questions.

a. Quel commandement vous semble le plus étonnant ? Lequel vous semble le plus important ?

....

b. Expliquez pourquoi.

....

ÉCRITURE CRÉATIVE 

2 À votre tour, rédigez, au choix, les 5 commandements de la cuisine de votre pays, de la cuisine végétarienne, de la cuisine familiale, de la cuisine d'étudiant, etc.

LA TRANSFORMATION

En cuisine, on transforme les produits en plats. Mais comment ?

❸ Classez les verbes suivants selon ce qu'ils expriment.

~~aplatir~~ • ~~arroser~~ • assaisonner
beurrer • ~~bouillir~~ • ciseler
déglacer • ~~désosser~~ • diluer
écraser • écumer
égoutter • envelopper
épaissir • farcir • éplucher
étaler • fondre • frire
garnir • gratiner
griller • incorporer
peler • râper • rôtir
saler • sauter • vider

GROUPE A
On ajoute quelque chose
ex. : arroser
....
....
....

GROUPE B
On enlève quelque chose
ex. : désosser
....
....
....

GROUPE C
On cuit quelque chose
ex. : bouillir
....
....
....

GROUPE D
On change la forme de quelque chose
ex. : aplatir
....
....

LES TENDANCES SE RETROUVENT DANS LE DICTIONNAIRE

Chaque année, de nouveaux mots entrent dans le dictionnaire ; cela signifie que leur usage s'est installé dans la langue française. Ils sont empruntés à d'autres langues (régionales ou étrangères), ou inventés en même temps que le concept qu'ils désignent. Ces dernières années, la gastronomie a été à l'honneur dans la production de néologismes, preuve s'il en est de l'intérêt des Français pour le sujet. Voici quelques-uns de ces nouveaux mots.

❹ Retrouvez la définition des mots suivants.

dînatoire • la bistronomie • un brunch • un café gourmand
crudivore • locavore • un ristrette • végane • un viandard

a. .... : adepte de la viande.

b. .... : se nourrissant exclusivement d'aliments crus.

c. .... : qui sert de dîner.

d. .... : qui ne consomme que des aliments produits près de chez lui.

e. .... : cuisine gastronomique servie en petite quantité et comme dans un bistrot.

f. .... : (de l'italien ristretto) café très serré (Suisse).

g. .... : (ou végétalien) exclut tout produit d'origine animale de sa vie quotidienne.

h. .... : café accompagné de mignardises.

i. .... : (mot américain) petit-déjeuner tardif et copieux tenant lieu de déjeuner.

Un café gourmand.

❺ Qu'en dites-vous ?

- Êtes-vous plutôt viandard ou végane ? Locavore ou crudivore ?
- Êtes-vous adepte de la bistronomie ?
- Finissez-vous votre repas par un café gourmand ou un ristrette ?
- Êtes-vous tenté par un apéritif dînatoire le samedi soir ? Par un brunch le dimanche matin ?

Gaspacho de betterave, gelée de betterave et espuma de pomme Granny Smith

INGRÉDIENTS
(POUR 4 PERSONNES)

Gaspacho de betterave
2 grosses betteraves rouges crues
gros sel
200 ml d'eau
100 ml de vinaigre de cidre
50 g de mie de pain
100 ml d'huile d'olive
sel, poivre
Tabasco

Gelée de betterave
1 betterave crue
200 ml d'eau
sel, poivre
5 g d'agar-agar

Espuma de pomme Granny Smith
2 pommes Granny Smith
jus d'un demi-citron
1 g d'agar-agar
1 blanc d'œuf
50 ml de crème liquide

Brunoise de pommes
2 pommes Granny Smith et quelques gouttes de jus de citron

DÉCOR
1 barquette de microvégétaux Scarlet Cress
1 barquette de microvégétaux Rock Chives
1 pomme Granny Smith
jus d'un demi-citron

TEMPS DE PRÉPARATION
2 h

TEMPS DE CUISSON
1 h

USTENSILES
4 verres ou grandes verrines • 1 emporte-pièce rond de 1 cm de diamètre
Une centrifugeuse • Un siphon • Un blender • Un chinois • Du papier aluminium • Du film plastique

GASPACHO DE BETTERAVE

Préchauffez le four à 170°C. Coupez les feuilles des betteraves en gardant une petite partie de la tige. Déposez une fine couche de gros sel sur une plaque. Enveloppez chaque betterave dans une feuille de papier aluminium et déposez-les sur la plaque. Faites cuire au four pendant 1 heure environ. Laissez refroidir, épluchez et coupez les betteraves en morceaux et mélangez-les dans un bol avec l'eau, le vinaigre, la mie de pain, l'huile d'olive, le sel, le poivre, le Tabasco, puis recouvrez d'un film plastique. Réfrigérez pendant 30 minutes. Mixez au blender, passez au chinois. Rectifiez l'assaisonnement et placez au frais.

Une recette proposée par Chef Éric Briffard, Le Cordon Bleu, Paris

GELÉE DE BETTERAVE

Épluchez la betterave crue et mixez-la au blender avec l'eau, le sel le poivre. Passez au chinois fin pour ne récupérer que le jus. Chauffez le jus dans une casserole avec l'agar-agar en mélangeant délicatement. Versez sur une plaque recouverte de film plastique sur 2 mm de hauteur. Réfrigérez jusqu'à ce que la gelée soit prise, puis prélevez à l'emporte-pièce des disques de 1 cm de diamètre.

ESPUMA DE GRANNY SMITH

Centrifugez les pommes, ajoutez le jus de citron et l'agar-agar. Portez le mélange à ébullition, retirez du feu. Laissez refroidir légèrement et ajoutez au mélange le blanc d'œuf et la crème liquide, puis mélangez délicatement. Mettez dans un siphon et réfrigérez 30 minutes minimum.

BRUNOISE DE POMMES

Épluchez les pommes, coupez-les en brunoise et citronnez-les.

PRÉSENTATION

Déposez une cuillerée de brunoise de pommes dans chaque verre et remplissez-les de gaspacho de betterave jusqu'à 1 cm du bord (réservez un peu de gaspacho pour le décor). Mettez les cartouches de gaz dans le siphon et dressez sur le gaspacho un peu d'espuma de pomme Granny Smith surmonté de microvégétaux. Déposez le verre au centre d'une assiette ronde, et décorez celle-ci de gaspacho de betterave, de disques de gelée de betteraves, de petits points d'espuma de pomme Granny Smith et de microvégétaux.

TRUCS ET ASTUCES

POUR COMPRENDRE LA RECETTE

Préparation des betteraves : il faut gratter la peau avec une petite brosse pour enlever un maximum de terre et rincer les betteraves sans les éplucher avant de les mettre au four.

Cuisson des betteraves : pour vérifier la cuisson de la betterave, il faut frotter la peau au niveau de la tige pour voir si elle se détache facilement.

L'espuma désigne une préparation mousseuse, ou « écume ». On l'obtient à partir d'un mélange liquide que l'on met dans un siphon. Cette préparation est rendue aérienne grâce au gaz injecté dans le siphon.

L'agar-agar est une algue déshydratée et réduite en poudre que l'on ajoute à des préparations culinaires pour les épaissir et obtenir une gelée.

Les microvégétaux (photo ci-contre) sont utilisés comme compléments culinaires. Ces petites plantes aromatiques et alimentaires sont très riches en goût et colorées ; elles ajoutent une saveur au plat ou viennent renforcer la saveur de ce plat et ajoutent un élément décoratif. De plus, ces microvégétaux sont riches en vitamines et en minéraux.

On citronne les pommes pour éviter qu'elles ne noircissent.

LA BETTERAVE DANS TOUS SES ÉTATS

Pour tout savoir sur la betterave, regardez l'émission du chef étoilé Guy Martin, « Épicerie fine ».

LE SAVIEZ-VOUS ?

Le gaspacho est une soupe froide du sud de l'Espagne et du sud du Portugal.
« Espuma » est un terme emprunté à la langue espagnole.

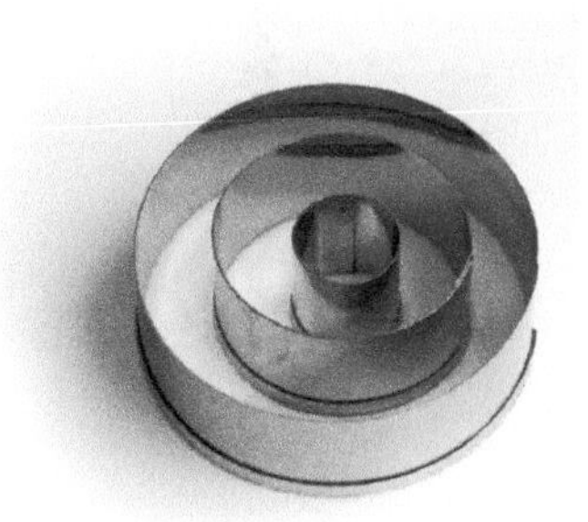

Il existe des emporte-pièces de différentes tailles.

César Troisgros, cuisinier, arrière-petit-fils de cuisinier

La maison Troisgros, restaurant mythique triplement étoilé, a été dirigée par trois générations de cuisiniers. César Troisgros, l'arrière-petit-fils de Jean-Baptiste, petit-fils de Pierre et fils de Michel Troisgros, travaille aujourd'hui, à son tour, avec son père, dans les cuisines du restaurant situé à Roanne, dans la région Auvergne-Rhône-Alpes.

4 QUESTIONS À CÉSAR TROISGROS

Qu'avez-vous ramené dans votre cuisine de vos voyages et de votre formation à l'étranger ?
Des États-Unis, j'ai ramené une façon différente d'organiser le travail en cuisine. De Corée, une autre manière d'interpréter le légume. Les techniques de fermentation sont intéressantes. C'est bon, c'est sain. J'ai ramené beaucoup d'autres choses qui sont dans ma tête... Certaines me servent et j'en garde d'autres, dans un petit coin, pour plus tard. Ma famille a toujours eu des échanges très forts avec l'étranger et notamment avec le Japon. Mon grand-père a passé un an à Tokyo, pour l'ouverture du Maxim's, en 1968, l'année où il a eu les trois étoiles Michelin !

De quels chefs de votre génération vous sentez-vous proche ?
Hugo Rœllinger, Alexandre Gauthier, Jean-Michel Carrette... On partage les mêmes valeurs : le souci des modes d'approvisionnement, la qualité des produits. Ils font une cuisine personnelle et engagée ; ils ont créé leur propre univers.

Vers quoi se dirige la gastronomie française, selon vous ?
On tient de plus en plus compte de l'épuisement des ressources. On se dirige vers un mode de consommation et d'approvisionnement plus intelligent. Mettre en valeur les circuits courts, échanger avec les gens à qui on achète nos produits, sont des choses essentielles. Le rapport de confiance avec les producteurs est important : je fais le marché chaque matin. Il me semble que si l'on connaît l'histoire de l'aubergine que l'on cuisine, on la cuisine différemment...

Votre cuisine en quelques mots ?
Française, sans frontières, contemporaine, simple, vive, tonique, légère.

LANGUE

FORMATION DES NOMS EN -TÉ :
simple (adj.) la simplicité (nom),
vif/vive (adj.) la vivacité (nom),
léger/légère (adj.) la légèreté (nom)
Exemple : J'aime la simplicité, la vivacité et la légèreté de la cuisine de César Troisgros.

CHEFS DE PÈRE EN FILS 

Regardez *La Maison Troisgros, des chefs de père en fils*, un reportage dans les cuisines de la Maison Troisgros.

❶ Qu'en dites-vous ? 

- Y a-t-il eu de grandes révolutions culinaires dans votre pays ?
- La manière dont vous cuisinez est-elle différente de la manière de cuisiner de vos parents ?
- Quelles sont les influences étrangères dans la cuisine de votre pays ?

FAISONS LE POINT

Dictionnaire
amoureux
de la
Gastronomie

Christian Millau

DICTIONNAIRE AMOUREUX DE LA GASTRONOMIE

Dictionnaire de Christian Millau (2008).

Un dictionnaire amoureux est un type de littérature à part entière. C'est la rencontre d'un auteur avec un sujet qu'il traite d'une façon très personnelle. Dans celui-ci, Christian Millau choisit de nous raconter un demi-siècle d'aventures gourmandes : « Non pas en professeur "ès gastronomies" (oh, le vilain mot !) mais en gourmand, amateur de bonnes et belles choses, de rencontres et de découvertes. Pour faire partager à mon lecteur mes emballements, mes déconvenues ou mes coups de gueule, je me suis coulé dans la peau du conteur, comme il s'en trouve autour d'une table entre amis. »

PROJET DE CLASSE

Scénario 1 : dictionnaire amoureux

1. Vous devez écrire un dictionnaire amoureux de la gastronomie. Chacun choisit 10 mots.
2. Confrontez les listes et décidez ensemble quels sont les 20 mots à retenir.
3. Par 2, rédigez un texte pour un des mots retenus.
4. Regroupez tous les textes (par ordre alphabétique) dans un livret.

Scénario 2 : recueil de poèmes

1. Vous devez écrire un recueil d'acrostiches (en vers ou en prose) sur la gastronomie. Chaque texte comprend 11 lignes, qui commencent par les 11 lettres du mot GASTRONOMIE.
2. Faites la liste de tous les mots qui commencent par ces lettres (brainstorming).
3. Par 2, rédigez un acrostiche.
4. Regroupez tous les textes dans un livret.

TESTONS NOS CONNAISSANCES

1 À part les chefs, qui écrit des livres de cuisine ?

....

2 Quelle recette du XVIIe siècle nous permet de manger des mille-feuilles aujourd'hui ?

....

3 Donnez une définition de la cuisine fusion.

....

4 Vrai ou faux ?

Il y a une majorité de femmes en cuisine à la maison et une minorité à la tête des grands restaurants. **V** ◯ **F** ◯

5 Quel est le point commun entre Eugénie Brazier et Anne-Sophie Pic ?

....

6 De quelle manière la cuisine française est-elle ouverte sur le monde ?

....

7 Quel temps est utilisé pour donner un commandement ?

a. L'impératif
b. Le conditionnel présent
c. Le futur simple

8 Qu'est-ce qu'un locavore ?

....

9 Qu'est-ce qui caractérise la cuisine de la famille Troisgros ?

....

10 À quoi sert l'agar-agar ?

....

11 Vrai ou faux ?

L'espuma est une soupe froide du sud de l'Espagne et du sud du Portugal. **V** ◯ **F** ◯

12 Citez deux légumes racines.

....

LES VERBES DE LA CUISINE

MÉLANGER
incorporer
fouetter
battre
....

ENLEVER
prélever
parer
désosser
écumer
....

ASSAISONNER
saler
poivrer
rectifier
[l'assaisonnement]
épicer
....

RÉPARTIR
parsemer
saupoudrer
....

CUIRE
saisir
rôtir
poêler
braiser
faire fondre
faire gratiner
faire dorer
faire frire
faire sauter
faire chauffer
faire bouillir
faire revenir
laisser frémir
laisser cuire
laisser mijoter
....

REMPLIR
garnir
farcir
....

AJOUTER OU RETIRER UN LIQUIDE
verser
napper
délayer
arroser
mouiller
égoutter
rincer
laisser réduire
faire mariner
déglacer
....

COUPER
tailler
détailler
ciseler
hacher
râper
....

UTILISER DES APPAREILS
centrifuger
mixer
réfrigérer
préchauffer
enfourner
....

CORRIGÉS

CHAPITRE 1. DANS LA CUISINE

P. 10
❶ **A** 5 • **B** 2 • **C** 3 • **D** 1

P. 11
❷ **a.** 4 et 6 ; **b.** 1 ; **c.** 2 ; **d.** 5 ; **e.** 3 ; **f.** 6

P. 12
❶ **a.** Au tout prêt. **b.** La multiplication des émissions de télévision, des magazines et des blogs consacrés à la cuisine ; l'augmentation de la vente des appareils de petit électroménager et les ingrédients de base qui se vendent plus que les plats cuisinés. **c.** La maîtrise de l'alimentation, le plaisir de cuisiner, la convivialité, et parce ça coûte moins cher de cuisiner que d'acheter un plat tout prêt.

P. 13
❸ un robot multifonctions et un robot pâtissier.

P. 15
❷ **Le goût :** votre palais, une saveur, mon palais, déguster ; **L'odorat :** votre odorat, un fumet, une odeur, les odeurs, les narines ; **L'ouïe :** le tintement ; **Le toucher :** s'amollir ; **La vue :** courts et dodus ❸ Le bonheur, L'envie, La joie, Le plaisir, La satisfaction, La nostalgie

P. 16
❶ **a.** spatule ; **b.** cafetière ; **c.** égoutter ; **d.** farine ; **e.** couteau ; **f.** battre ; **g.** œuf ; **h.** mixeur ; **i.** tomate

P. 18
❶ **Un paquet de** café ; **Un pot de** confiture ; **Un sachet de** thé ; **Une barquette de** fraises ; **Une plaquette de** beurre ; **Une tablette de** chocolat ; **Une boîte de** sardines ; **Une brique de** lait ; **Une bouteille de** vin ❷ une demi plaquette de, une noix de, 130 grammes de, 150 grammes de, une cuillère à soupe de, 2, une pincée de, un demi-sachet de, une cuillérée à café de

P. 19
❶ **b.** ❷ **c.** ❸ **b.** ❹ **b.**

P. 21
❶ A ; C ; D ; B

P. 22
❶ **a.** qui a appris seul ; **b.** région avec ses caractéristiques et traditions propres ; **c.** sans préparation ; **d.** apprendre en faisant ; **e.** coquine, espiègle.

P. 23
❶ Il s'agit du Palais de l'Élysée (la résidence du président de la République française) et de l'organe du goût. ❷ b. ; ❸ une pincée de, un nuage de, une goutte de, une noix de, une noisette de, un zeste de ❹ V ❺ Garder l'essentiel d'une recette et modifier des ingrédients ou des procédures.
❻ Il indique que la cuisine est faite maison
❼ C'est une personne qui cuisine très bien.
❽ **Un légume :** une carotte ; **Un ustensile :** un couteau ; **Un verbe :** couper ; **Une quantité :** une cuillérée

CHAPITRE 2. MANGER AU QUOTIDIEN

P. 24
❶ a.

P. 25
❸ **a.** F ; **b.** F ; **c.** F ; **d.** V

P. 26
❶ **a.** Parce qu'elles n'ont pas de temps ou pas d'appétit. ; **b.** Un quart d'heure en semaine, mais il est plus long le week-end. ; **c.** Le petit déjeuner idéal se compose d'un produit céréalier, d'un fruit, d'un produit laitier et d'une boisson.

P. 27
❷ **Entourer :** la cafetière, le lait, une tranche de pain, le beurre, le jus d'orange

P. 28
❶ **Recharger les batteries :** Reprendre des forces ; **Le foyer :** La maison ; **Se compter sur les doigts d'une main :** Être peu nombreux

P. 29

❹ cantine ; plat ; garnitures ; dessert

P. 31

❷ **Gagner sa croûte :** Gagner sa vie en travaillant ; **Avoir du pain sur la planche :** Avoir beaucoup de travail à faire ; **Manger son pain blanc :** Avoir des débuts faciles ; **Long comme un jour sans pain :** Très long, interminable ; **Rouler quelqu'un dans la farine :** Tromper quelqu'un ; **C'est du pain béni :** C'est facile, c'est une bonne occasion ; **Être dans le pétrin :** Être dans une situation embarrassante

❹ :

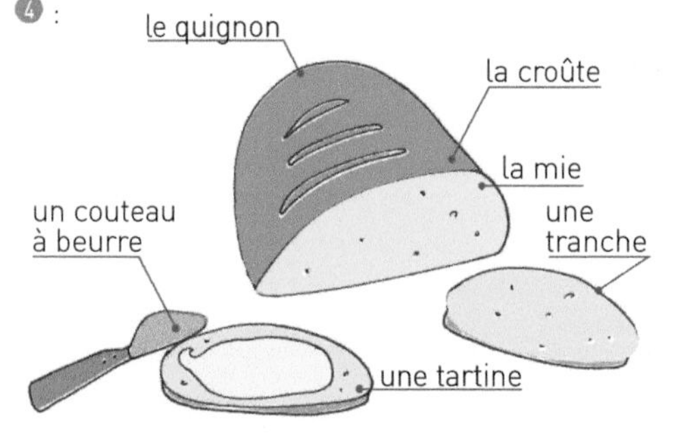

P. 33

❷ **1.** Fondant au chocolat

P. 34

❶ **un moment précis :** en 2010, en 2015, à l'âge de six ans, aujourd'hui, après ses journées de travail ; **une durée :** deux ou trois heures, au bout de six ans, pendant un an ; **une répétition :** deux fois, à nouveau ; **une succession :** d'abord/puis/ensuite ; **une fréquence :** chaque jour ; **une simultanéité :** en même temps.

❷ Il a l'honneur de livrer le Palais de l'Elysée chaque jour, pendant un an.

P. 35

❸ des croûtons, de la chapelure, du pain perdu ❹ a. V ; b. F ❺ Manger sur le pouce ❻ Le savoir-faire du boulanger ❼ un café avec un nuage de lait ❽ le cou, les cuisses et manchons, les aiguillettes, les magrets ou le foie gras ❾ Le fondant au chocolat ❿ un croissant, une chouquette, une brioche, un pain aux raisins, un chausson aux pommes ou un saint-genix

CHAPITRE 3. **TROUVER LES BONS PRODUITS**

P. 36

❶ **Quand a-t-il été produit ?** La fraîcheur ; **Est-ce un produit de saison ?** La saisonnalité ; **Est-il bon pour la santé ?** Les qualités nutritionnelles ; **Est-ce un produit local ?** Le lieu de production ; **Est-il beau, régulier ?** L'aspect ; **Est-ce un produit bio ?** Le mode de production ; **Est-il assez mûr ?** La maturité

P. 38

❶ a., b., d., e., f. ❷ des clients multiples, des commerçants, des producteurs, des hommes politiques en période électorale

P. 39

❺ **a.** Dans un camion magasin ; **b.** Il n'y a pas de magasin près de chez elle. Elle n'a pas de voiture pour aller faire ses courses en ville. C'est convivial.

P. 40

❶ **a. C'est** du poisson ; **b. C'est** amer ; **c. C'est** rond ; **d. Sa chair est** moelleuse ; **e. Ça contient** un noyau ; **f. Ça a une peau** brillante ; **g. Ça se mange** cuit

P. 41

❸ **a.** un croissant ; **b.** du saumon ; **c.** une fraise ; **d.** du fromage persillé (du bleu) ; **e.** du saucisson

1. b ; **2.** c ; **3.** d ; **4.** e ; **5.** a

❹ **a.** une boucherie-charcuterie ; **b.** une fromagerie, une crémerie ; **c.** un primeur ; **d.** une boulangerie-pâtisserie ; **e.** une poissonnerie

P. 42

❶ **a.** récolte ; **b.** prépare, vend ; **c.** transforme, affine ; **d.** cultive ; **e.** élève ; **f.** pêche

P. 45

❶ **a.** un économe ; **b.** un couteau ; **c.** une mandoline, une râpe ; **d.** un fouet

P. 47

❸ Label Rouge est un label de qualité qui signifie que le produit est de qualité supérieure. ❹ F ❺ contact direct entre le producteur et le consommateur ❻ boulanger, agriculteur, éleveur, fromager, bouc her, etc. ❼ préparé avec soin ❽ par exemple, la crème, un jaune d'œuf ❾ meilleur ouvrier de France ❿ un légume

P. 59

❸ **a.** V ; **b.** F ; **c.** V ❹ Marseille ❺ un hexagone ❻ Nice ❼ Donner à chacun un morceau qui contienne de la croûte et du cœur. ❽ Cf. liste page 52 ❾ C'est un site culturel à vocation touristique dont les activités sont dédiées aux patrimoines alimentaires. ❿ C'est une association qui veut préserver une tradition et la transmettre.

CHAPITRE 4. **UNE GÉOGRAPHIE DU GOÛT**

P. 48

❶ **a.** V ; **b.** F ; **c.** V ❷ **a.** contrastés ; **b.** diversité

P. 49

❸ **Normandie :** escalopes de veau normande ; **Sologne :** la tarte tatin ; **Dauphiné :** le gratin dauphinois ; **Pays basque :** la piperade

P. 52

❷ je suis impatient, ça a l'air vraiment chouette, magnifiques, j'adore, je trouve que c'est une excellente idée

P. 54

❶ la salade niçoise : Nice ; les pommes parisiennes : Paris ; le pâté lorrain et la quiche lorraine : la Lorraine ; le boudin antillais : les Antilles ; les pommes de terre sarladaises : Sarlat ; le gratin dauphinois : le Dauphiné ; le gâteau périgourdin : le Périgord ; la salade lyonnaise : Lyon ; la fondue bourguignonne : la Bourgogne

P. 55

❷ **a.** au sud-est de la ; **b.** au pied du ; **c.** dans la vallée du ; d. sur la côte d' ; **e.** au bord de la ❸ **a.** un chicon ; **b.** une carotte rouge ; **c.** un bleuet ; **d.** un chaddek ; **e.** du sucre impalpable ; **f.** une chocolatine

P. 58

❶ **a.** 4 ; **b.** 5 ; **c.** 1 ; **d.** 2 ; **e.** 3

CHAPITRE 5. **BOIRE ET MANGER**

P. 60

❷ occasionnellement

P. 61

❹ **a.** F ; **b.** F ; **c.** F ; **d.** V

P. 62

❶ accompagner, un accord, s'accorder, une alliance, associer, une combinaison, combiner, un couple, fusionner, un mariage, une union

P. 64

❶ **a.** 8 ; **b.** 5 ; **c.** 6 ; **d.** 7 ; **e.** 2 ; **f.** 1 ; **g.** 3 ; **h.** 4

P. 65

❷ au Moyen Âge ❸ la fermentation ❹ on scelle la bouteille ❺ ouvrir, incliner, dégager, tenir

P. 66

❶ **l'œil :** robe, rubis sombre, brillante ; **le nez :** fruits rouges, framboise, cuir, notes épicées et vanillées ; **la bouche :** concentrés, complexes, puissant, tannique

P. 67

❷ **a.** 1 ; **b.** 6 ; **c.** 8 ; **d.** 5 ; **e.** 4 ; **f.** 2 ; **g.** 3 ; **h.** 7 ❸ **a.** un vigneron ; **b.** un viticulteur ; **c.** un œnologue ; **d.** un sommelier ; **e.** un caviste

P. 69

❶ **a.** un saladier ; **b.** une écumoire ; **c.** du papier absorbant ; **d.** du film étirable ; **e.** une sauteuse ; **f.** un chinois ; **g.** une cocotte

P. 71
❸ **a.** V ; **b.** F ; **c.** F ❹ un consommateur/ une consommatrice, la consommation ❺ un apéritif amélioré ; on mange plus qu'on boit ❻ l'examen visuel, puis olfactif et enfin gustatif ❼ caviste, œnologue, sommelier, vigneron et viticulteur ❽ appellation d'origine contrôlée, appellation d'origine protégée ❾ désaltérer, rafraîchir et nettoyer les papilles ❿ accorder le vin et le produit d'un même terroir, accorder des arômes proches ou des contraires, accorder des couleurs ⓫ le vin ⓬ c'est un mode de culture qui respecte le rythme de la nature et n'utilise aucun produit chimique.

CHAPITRE 6. LES ARTS DE LA TABLE

P. 73
❶ **1.** REPAS ; **2.** CONVIVES ; **3.** VAISSELLE ; **4.** COUVERTS ; **5.** DÉCORATION ; **6.** HÔTES ; **7.** MENU ; **8.** VERRES ❸ Moyen Âge : planche ; XVIIe siècle : manufactures royales ; Révolution : restaurants ; XVIIIe siècle : intimité ; XIXe siècle : palaces ; XXe siècle : style personnel ; XIXe siècle : loisir ❹ un service de table, une ménagère, du linge de table, une nappe, des serviettes

P. 74
❶ à gauche de, à droite, vers, à droite du, en haut de, entre, en haut de, au-dessus des, à sa droite, à la droite du, derrière, entre

P. 76
❶ **a.** SERVIETTE ; **b.** FOURCHETTE ; **c.** ASSIETTE ; **d.** COUTEAU ; **e.** COUVERTS ; **f.** CUILLÈRE ; **g.** SALIÈRE/ POIVRIÈRE ❷ Photo 2 : le service bleu et blanc

P. 81
❸ préparer la table pour un repas, mettre le couvert ❹ sur une tranche de pain ❺ un verre à vin est destiné au vin et un verre de vin contient du vin ❻ une fourchette, une cuillère, un couteau ❼ V ❽ la porcelaine avant vitrification ❾ F ❿ La ganache ⓫ Chef de rang, maître d'hôtel, directeur de salle, serveur ⓬ un morceau de tissu étroit (ou plusieurs) qu'on pose sur toute la longueur de la table pour la décorer

CHAPITRE 7. LE GRAND REPAS

P. 82
❶ **1.** réunir ; **2.** codifié ; **3.** soigneusement ; **4.** accorder ; **5.** terminer

P. 83
❷ **a.** Quel menu ? ; **b.** Où ça se passe ? ; **c.** Qui va cuisiner ? ; **d.** Quel type de service ? ; **e.** Qui sont les invités ? ❸ **a.** Le repas de Noël se passait chaque année chez les parents d'Annie. ; **b.** La préparation du repas durait plusieurs jours. ; **c.** Le menu ne changeait jamais. ; **d.** On finissait le repas par une bûche au chocolat. **e.** Heureusement, papa mettait la main à la pâte !

P. 86
❶ **1.** se réunir ; **2.** se rassembler ; **3.** se retrouver ; **4.** se regrouper ; **5.** se rejoindre ❷ une collation ❸ **1.** un gâteau ; **2.** une galette des rois ; **3.** une pièce montée ; **4.** une bûche ; **5.** des crêpes ❹ lever son verre à, trinquer, Tchin tchin !, À la tienne !, Santé !

P. 91
❸ un repas pendant lequel il y a beaucoup à manger. ❹ **a.** F ; **b.** V ❺ une bûche ❻ pour annoncer un mariage, une naissance. ❼ Cf. liste page 86 ❽ Elle recherche constamment l'équilibre. ❾ des choux, des chouquettes, des gougères

CHAPITRE 8. PARLER DE CE QU'ON MANGE

P. 91
❶ **a.** pour ; **b.** puisque ; **c.** mais ; **d.** il faut ; **e.** donc

P. 94
❶ **a.** elle s'est démocratisée, les amateurs peuvent en parler ; **b.** leurs avis, leurs conseils pratiques, leurs trucs et astuces, les bonnes adresses ; **c.** Internet, la radio, la télévision, l'édition

P. 95
❹ Elle demande à des Français d'indiquer où on trouve le meilleur mille-feuilles et s'amuse de les voir discuter car ils ne sont pas d'accord.

P. 96
❶ **a.** les séries télé dont on est fan ;
b. expériences culinaires ; **c.** la famille et les amis ; **d.** le déroulé de la journée ; **e.** l'actualité

P. 97
❷ Bon appétit ! Merci ! À toi/ vous aussi ; Je te/ vous ressers ? Volontiers, c'est délicieux.
ou Non merci. Je garde une place pour le dessert.
ou Non merci, je n'ai plus faim ; Il reste du gâteau ? J'en reprendrais bien une part. Tiens, voilà ! ; Passe-moi le sel, s'il te plaît. Tiens, voilà !
❸ **a.** appétissant, bouche ; **b.** délicieux, succulent ; **c.** fin, moelleux ; **d.** bon, fade ; **e.** mauvais, épicé ; **f.** sucré, acidulé

P. 98
❶ **a.** délicatement ; **b.** à une heure donnée ; **c.** sans retenue ; **d.** peu

P. 103
❶ critique gastronomique ❷ **a.** V ; **b.** V ❸ elle est rare et chère ❹ le nez d'un chien ou une personne pas très intelligente ❺ oiseau ; cochon ; loup
❻ Cf. liste page 98 ❼ b. ❽ Il peut ainsi être utilisé à plus haute température

CHAPITRE 9. LA GASTRONOMIE AUJOURD'HUI

P. 105
❷ **a.** aromatique, acide, légère ; **b.** le chocolat, le haricot, le piment ; **c.** grasse et onctueuse ; **d.** simple, légère

P. 106
❶ **a.** L'élargissement ; **b.** L'origine ; **c.** L'inspiration ; **d.** Le métissage

P. 107
❸ cuisine moléculaire, cuisine cryogénique, cuisine basse température, snacking

P. 108
❶ Oui et non : elles sont très présentes dans les cuisines mais peu nombreuses à des postes prestigieux.

P. 109
❸ **1.** a. ; **2.** e. ; **3.** d. ; **4.** c. ; **5.** b.

P. 111
❸ **Groupe A :** assaisonner, beurrer, déglacer, diluer, épaissir, farcir, garnir, incorporer, saler ; **Groupe B :** écumer, égoutter, éplucher, peler, vider ; **Groupe C :** frire, gratiner, griller, rôtir, sauter ; **Groupe D :** ciseler, écraser, envelopper, étaler, fondre, raper ❹ **a.** Un viandard ;
b. Crudivore ; **c.** Dînatoire ; **d.** Locavore ;
e. La bistronomie ; **f.** Un ristrette ; **g.** Végane ;
h. Un café gourmand ; **i.** Un brunch

P. 115
❶ Des passionnés de cuisine, des blogueurs.
❷ La pâte feuilletée ❸ C'est une cuisine qui permet de mélanger des cuisines de différents pays afin d'obtenir des saveurs nouvelles. ❹ V
❺ Elles ont obtenu 3 étoiles au guide Michelin.
❻ Elle emprunte des produits et des techniques à d'autres pays. ❼ c. ❽ Une personne qui ne consomme que des aliments produits près de chez elle. ❾ Ils innovent et réinventent les classiques. ❿ à épaissir les préparations ⓫ F
⓬ le topinambour, le panais, le crosne, le salsifis.

CHAPITRE 1. DANS LA CUISINE

AUDIO 1 • ACTIVITÉ 3 PAGE 13

Une cuisinière bien équipée !

– Tu as beaucoup d'appareils pour faire la cuisine ?
– On peut le dire, je crois ! Je fais une véritable collection !
– Ah oui ? Tu as quoi ?
– J'ai tout ! Tout ! Un batteur pour monter les blancs en neige pour mes gâteaux, bien sûr, un mixer plongeant pour les soupes et les purées... Il y en a pour tous les membres de la famille ! J'ai une yaourtière pour les yaourts des enfants, une sorbetière pour leur faire des glaces, une centrifugeuse pour les jus de fruits...
– Tu fais tes propres jus de fruits ?
– Bien sûr ! Je fais aussi de délicieux smoothies avec mon blender !
– Ta famille a de la chance !
– C'est vrai ! Tu sais que mon mari est très attentif à ce qu'il mange... alors je lui fais des petits plats légers avec mon cuiseur vapeur !
– Oh là là ! Mais tu passes tout ton temps dans ta cuisine !
– Non, pas du tout ! Tous ces appareils me permettent de gagner du temps quand je cuisine.

AUDIO 2 • ACTIVITÉ 1 PAGE 14

Les tomates farcies de Régina

J'ai l'eau à la bouche quand je pense aux tomates farcies que préparait ma grand-mère paternelle, véritable cordon-bleu. Elles étaient célèbres dans toute la famille et même parmi nos amis qui faisaient parfois des kilomètres pour les manger ! C'était le plat que mémé servait tout l'été et même si elle en préparait de grandes quantités, on finissait toujours tout et on saucait le jus avec un bout de pain jusqu'à la dernière goutte. Mémé passait des heures en cuisine à préparer ces tomates et quand on arrivait en fin de matinée, la maison embaumait et on savait qu'on allait se régaler. Quand les tomates sortaient du four, le jus crépitait au fond du plat et les petits « chapeaux » des tomates étaient tout fripés, comme confits. Chacun repérait d'un coup d'œil celle qu'il allait prendre, se jetait dessus et la dévorait, prêt à en prendre une deuxième... On remerciait et félicitait mémé qui, modeste, répondait « c'est rien du tout, juste des tomates farcies ! » En fait, c'était beaucoup plus que ça, un vrai moment de bonheur partagé.

AUDIO 3 • ACTIVITÉ 2 PAGE 18

La recette des madeleines

– Mmmmm..., elles sont délicieuses tes madeleines. C'est compliqué à faire ?
– Pas trop. Faut dire que je les fais depuis toujours alors je connais la recette par cœur, je les fais les yeux fermés. Tu as de quoi noter ?
– Oui, vas-y.
– Alors il te faut une demi-plaquette de beurre plus une noix pour beurrer le moule. Cent trente grammes de sucre, cent cinquante grammes de farine plus une cuillère à soupe pour fariner le moule.
– En plus du beurre ?
– Oui, tu beurres le moule puis tu saupoudres de farine. Il te faut aussi 2 œufs, une pincée de sel, un demi-sachet de levure chimique et, la petite touche de ma grand-mère, une cuillerée à café d'eau de fleur d'oranger. Ah ! J'oubliais le plus important : tu dois les faire dans un moule à madeleine.
– Oh là là, laisse tomber ! Finalement, je crois que je vais continuer à manger celles que tu as la gentillesse de préparer !

TRANSCRIPTIONS

CHAPITRE 2.
MANGER AU QUOTIDIEN

AUDIO 4 • ACTIVITÉ 2 PAGE 27

Mon petit déjeuner

- Qu'est-c'-que tu prends, toi, l'matin au p'tit déj' ?
- Euh, le matin, tout d'abord, j'prends un café : un grand café avec un nuage de lait. Ensuite je fais une tartine avec du beurre, de la confiture et pour finir j'avale un bon verre de jus d'orange.

AUDIO 5 • ACTIVITÉ 4 PAGE 29

À la cantine

Je mange à la cantine parce que je n'ai pas le temps de rentrer chez moi entre midi et deux. On a toujours un plat chaud : du poisson ou de la viande avec deux garnitures au choix, une entrée – en général des crudités –, un produit laitier : petit suisse, yaourt, fromage et un dessert, qui est un fruit ou une pâtisserie. Je mange avec des copines et on passe à peu près 45 minutes à table à discuter.

AUDIO 6 • ACTIVITÉ 2 PAGE 33

Mon dessert préféré

- Et toi Xavier, c'est quoi ton dessert préféré ?
- Mon dessert préféré ? Euh... Mmm... Ben, disons que, par mes origines, j'pense que, bretonnes, ça serait plutôt les crêpes, mais franchement, euh..., non j'crois qu'c'est, c'est l'fondant au chocolat, avec un peu de crème anglaise, euh... j'adore !

CHAPITRE 3.
TROUVER LES BONS PRODUITS

AUDIO 7 • ACTIVITÉ 4 PAGE 39

Un matin de printemps

Ce tableau est vraiment vivant, on peut presque entendre les bruits et sentir la chaleur. J'imagine un matin de printemps, dans le sud de la France. Les étals de fruits et légumes sont pleins et il y a déjà du monde dans la rue. Au premier plan, on voit différentes variétés de choux, des poireaux, des salades ; ça donne vraiment envie !

AUDIO 8 • ACTIVITÉ 5 PAGE 39

Hélène, 61 ans, retraitée

J'habite dans un petit village du Jura, et il n'y a pas de supermarché. Il n'y a même plus d'épicerie là où j'habite. Je ne peux pas non plus aller faire mes courses dans la ville voisine, parce que je n'ai pas de voiture. Alors, heureusement il y a des camions magasins qui passent chaque semaine. Quand ils arrivent, ils klaxonnent ! Ça me rappelle mon enfance... quand le marchand de glace passait. Le boucher, lui, passe le mardi et il y a un autre camion qui vient le jeudi avec des fruits, des légumes, des yaourts, du fromage et tout ce qu'il faut pour la maison. Je fais donc mes courses comme ça. C'est très agréable. Je connais bien ces commerçants, ce sont presque des amis, on discute ensemble... et puis, j'aime beaucoup retrouver mes voisins, autour du camion. Comme ça, on se voit plusieurs fois par semaine. Et il n'y a pas que des retraités. Il y a aussi des mères de famille qui sont trop occupées pour aller perdre leur temps dans les supermarchés. C'est vraiment convivial.

AUDIO 9 • ACTIVITÉ 4 PAGE 41

Où sommes-nous ?

a. – Six tranches bien fines s'il vous plaît !
b. – Je prendrais une tomme de chèvre, pas trop sèche.
c. – J'en voudrais au moins deux kilos, des bien mûrs.
d. – Mettez-moi un campagne, bien cuit.
e. – J'aimerais bien deux filets pas trop gros.

CHAPITRE 4. UNE GÉOGRAPHIE DU GOÛT

AUDIO 10 • ACTIVITÉ 3 PAGE 49

Spécialités régionales

- J'adore les escalopes de veau normandes ! La crème, les champignons, le calvados... Miam !
- La tarte tatin, c'est ma tarte préférée ! C'est une spécialité du Centre de la France. C'est une tarte aux pommes cuite à l'envers ! Les pommes caramélisées sont en dessous et la pâte est dessus.
- Vous connaissez le gratin dauphinois ? C'est un gratin de pommes de terre : les tranches de pommes de terre sont cuites au four dans du lait assaisonné. C'est un plat typique en Rhône-Alpes.
- La piperade est un délicieux accompagnement à base de tomates, de poivrons et de piments. J'en mange quand je rends visite à ma grand-mère, dans le sud-ouest.

AUDIO 11 • ACTIVITÉ 2 PAGE 52

La Cité de la gastronomie de Dijon.

Je suis impatient de pouvoir visiter la cité de la gastronomie et du vin ; ça a l'air vraiment chouette ! Ils vont utiliser les bâtiments de l'ancien hôpital ; des bâtiments magnifiques qui datent du XVIIIe. Ils vont associer ces bâtiments avec des constructions modernes : j'adore ! En fait, ce projet redessine complètement le quartier. Je trouve que c'est une excellente idée de mélanger les activités pédagogiques... les ateliers, les expositions, les conférences... avec des lieux plus festifs comme le cinéma, les cafés ou les restaurants.

AUDIO 12 • ACTIVITÉ 3 PAGE 55

Comment on dit chez vous ?

a. Chez moi, on ne dit pas une endive mais un chicon.
b. Dans ma région, on appelle les betteraves des « carottes rouges ».
c. Nous, les myrtilles, on les appelle des bleuets.
d. Le pamplemousse, chez moi, on appelle ça un chaddeck.
e. Je sais qu'en France, vous dites « sucre glace » alors que nous, on appelle ça du « sucre impalpable ».
f. À la boulangerie, ici, on ne trouve pas de pains au chocolat mais des « chocolatines » mais c'est la même chose !

CHAPITRE 5. BOIRE ET MANGER

AUDIO 13 • ACTIVITÉ 2 PAGE 60

Le vin et moi

Est-ce que je bois du vin ? Oui et non. En fait, il m'arrive de prendre un verre de temps en temps. Pas au quotidien, mais quand je reçois et que j'ouvre une bonne bouteille ou alors quand je mange au resto ou chez des amis. J'apprécie de boire du vin mais en fin de compte je n'en bois pas souvent, peut-être trois verres par mois, maxi !

AUDIO 14 • ACTIVITÉ 5 PAGE 65

Comment ouvrir une bouteille ?

- Tu ouvres la bouteille ?
- Ok... Je veux bien, mais je ne sais pas comment faire ! Je ne sais pas déboucher une bouteille de champagne !
- Je te montre, c'est facile. Regarde... D'abord, incline légèrement la bouteille.
- Comme ça ?
- Oui, voilà c'est bien. Maintenant, tu dégages la boucle du muselet.
- C'est quoi le muselet ?
- Regarde, c'est là. C'est la partie en fer, là. C'est la partie qui retient le bouchon.
- Ah oui, d'accord. J'ouvre cette boucle ?
- Oui. Comme ça, quand tu l'ouvres, tu dégages le bouchon. Mais fais attention ! Tiens bien le bouchon en même temps !
- D'accord... Voilà...
- Tu tiens bien le bouchon, hein ! Maintenant, tu tiens fermement... bien fort, la bouteille et tu la fais tourner pour dégager le bouchon... doucement, tout doucement... Le bouchon va sauter ! Pop ! Vite une flûte !

AUDIO 15 • ACTIVITÉ 1 PAGE 66

Une dégustation à l'aveugle

- Tu peux nous parler du vin qu'on va boire ?
- Oui, viens voir... C'est un bordeaux supérieur. On va se régaler. Regarde sa couleur. Il est rubis, rubis sombre. Tu vois, la robe de ces vins rouges est vivante et brillante.
- Oui, je vois.
- Ensuite on le respire. Tu sens ?
- Oui... je sens des arômes... je ne sais pas... ah si... de petits fruits rouges, comme la framboise... et peut-être le cassis aussi...

- Oui, tout à fait ! Tu sens autre chose ?
- Oui, en plus de la framboise, je sens... une note florale... mmm... la violette peut-être ?
- Oui, c'est ça ! C'est caractéristique de ce type de vin. Autre chose ?
- Non, je ne crois pas...
- S'il était plus vieux, on aurait senti le cuir et le champignon, mais pas là. En tout cas, on peut dire que ces parfums sont souvent accompagnés de notes boisées, épicées et vanillées.
  Et maintenant, garde-le un peu dans ta bouche. Alors ?
- Ben... je dirais que c'est un vin puissant et tannique.
- Oui, c'est vrai et ce sont des vins concentrés et complexes.

AUDIO 16 • ACTIVITÉ 1 PAGE 69

Mystérieux ustensiles

a. On l'utilise pour disposer les ingrédients de la marinade et la viande.
b. On l'utilise pour sortir les morceaux de viande de la cocotte.
c. On l'utilise pour absorber le liquide de la viande quand on la retire de la marinade.
d. On l'utilise pour couvrir le saladier qui contient la marinade.
e. On l'utilise pour faire fondre les lardons, pour faire blondir les oignons et pour faire sauter les champignons.
f. On l'utilise pour passer la marinade, pour séparer la viande de la marinade.
g. On l'utilise pour faire dorer la viande.

CHAPITRE 6. LES ARTS DE LA TABLE

AUDIO 17 • ACTIVITÉ 4 PAGE 73

La liste de mariage de Pauline

Pour mon mariage, j'ai déposé une liste dans un grand magasin. C'est beaucoup plus simple pour les invités. Et puis comme ça on est sûr d'avoir des choses qui nous plaisent et qui seront utiles. Avec tout ça, on pourra s'installer. Mes grands-parents nous ont offert tout le service de table en porcelaine et ma marraine la ménagère en inox... Non, pas en argent ! On n'a pas mis beaucoup de linge de table sur la liste, juste une nappe blanche et des serviettes assorties.

AUDIO 18 • ACTIVITÉ 2 PAGE 76

Mettre la table

- Pascal, tu mets la table ?
- OK, on sera combien ?
- Huit.
- Je mets une nappe ?
- Oui, prends la nappe blanche.
- Je prends les serviettes qui vont avec ou des serviettes en papier ?
- Prends les serviettes assorties.
- Et les assiettes, je prends lesquelles ?
- Le service bleu et blanc, en porcelaine, ça te va ?
- Oui, et je mets les couverts en argent ?
- Non, prends les autres. Mais prends les verres en cristal si tu veux.
- Ça marche.

CHAPITRE 7. LE GRAND REPAS

AUDIO 19 • ACTIVITÉ 3 PAGE 83

Le repas de Noël chez les Marchand

Chaque année, mes parents nous recevaient tous pour Noël. Nous, c'est-à-dire leurs quatre enfants, leurs époux et leurs dix petits-enfants ! En plus, la plupart du temps, il y avait un cousin éloigné, une tante ou un ami. Ma mère cuisinait pendant plusieurs jours, avec mon père, pour préparer ce repas. C'était toujours le même : d'abord, du saumon fumé, des huîtres et du foie gras en entrée. Ensuite, une énorme dinde aux marrons ! On la mangeait avec le meilleur gratin dauphinois de la région ! On mangeait aussi, toujours, un gratin de cardons. Mes parents passaient beaucoup de temps à préparer ce légume, mais c'est délicieux le gratin de cardons ! Il y avait évidemment ensuite un grand plateau de fromage et une salade verte. Et pour finir en beauté, il y avait une bûche au chocolat, maison, bien entendu, et un café. En général, on apportait le vin et le champagne et quelquefois le fromage. En tout cas, on n'apportait jamais de plat cuisiné ! Il était hors de question que quelqu'un d'autre que maman ou papa prépare ce repas !

AUDIO 20 • ACTIVITÉ 4 PAGE 86

À ta santé !

- Je propose qu'on lève nos verres à la santé d'Antonio. Joyeux anniversaire !
- Oui, trinquons !
- Tchin tchin!
- À la tienne, Antonio !
- Merci à tous, santé !

CHAPITRE 8. PARLER DE CE QU'ON MANGE

AUDIO 21 • ACTIVITÉ 4 PAGE 95

Le point de vue d'une Québécoise

Il y a une chose qui m'a séduite quand je suis arrivée à Paris... La nourriture, bien sûr, mais surtout la façon dont les Français parlent de nourriture ! Pour la gourmande que je suis, c'est merveilleux ! À la boucherie, à la boulangerie... Dans tous les commerces ! Les clients discutent avec le poissonnier, le primeur... Ils discutent d'un nouveau produit ou de la meilleure façon de préparer cette pièce de viande, ce poisson ou ce légume. Et j'ai trouvé un jeu très drôle ! Si vous êtes en France et que vous voulez rigoler un moment, vous demandez à deux Français : où est-ce que je peux trouver le meilleur... Euh... Je ne sais pas... n'importe quelle pâtisserie... euh un mille-feuille... vous leur demandez donc : où est-ce que je pourrais trouver le meilleur mille-feuille ? Et là... régalez-vous de la longue conversation et de la bagarre qui arrivent !

AUDIO 22 • ACTIVITÉ 3 PAGE 97

Alors, c'est comment ?

a. C'est appétissant, ça donne envie ; j'en ai l'eau à la bouche !
b. Hmmm, c'est bon, c'est très bon, c'est vraiment très bon, très très bon. En fait, c'est délicieux, c'est savoureux, c'est excellent, exquis, succulent. En un mot, c'est divin !
c. J'aime beaucoup. C'est fin, léger, à la fois moelleux à l'intérieur et croquant sur le dessus. J'en reprendrais volontiers un morceau.
d. Ouais, c'est pas mal ; c'est bon, sans plus. Je dirais que ça se laisse manger mais c'est un peu fade à mon goût, ça manque de sel.
e. Beurk, c'est pas bon, vraiment pas bon. Je dirais même que c'est mauvais, très mauvais, c'est infect, exécrable. C'est immangeable : très gras et trop épicé. Excuse mon langage mais c'est dégueulasse !
f. Il en reste ? Ah, oui, j'en veux bien encore une part. J'aime ce mélange sucré et acidulé. Tu me donneras la recette ?

CHAPITRE 9. LA GASTRONOMIE AUJOURD'HUI

AUDIO 23 • ACTIVITÉ 2 PAGE 106

Poivre, moutarde et sauce soja

Dans ma famille, on aime le mélange sucré-salé. On adore le lapin aux pruneaux. On mange aussi certains fromages avec du raisin ou de la compote de pommes. On est assez cosmopolite. Du coup, on fait beaucoup de recettes venues d'ailleurs. Tu vois, ma tante vietnamienne ? Eh bien, elle, elle nous a appris à manger les légumes moins cuits, plus croquants. Elle nous a aussi appris à utiliser la sauce de soja pour parfumer les plats. En fait, on n'utilise pas beaucoup d'épices chez nous, à part la noix de muscade, qu'on met dans les quiches ou dans la purée. Pour la viande, on est plutôt poivre et moutarde mais quand on fait un chili, on met du piment, bien sûr !

AUDIO 24 • ACTIVITÉ 3 PAGE 109

Saveurs oubliées

1. J'adore le topinambour... cette petite saveur d'artichaut et de noisette... Mmmm...
2. Ce que j'adore dans le panais, c'est ce petit goût étonnant de noix de coco ! Et parfois d'anis ou de fenouil...
3. Le rutabaga, c'est bon... il a un goût de pomme un peu citronnée...
4. J'aime beaucoup la saveur douce du navet boule d'or.
5. Mes enfants adorent le cerfeuil tubéreux. Ce n'est pas étonnant : on dirait des pommes de terre à la châtaigne !

CRÉDITS PHOTOGRAPHIQUES

Images de couverture : en haut : © S. Vigneron ; en bas : © IPGGutenbergUKLtd – iStockphoto • **10** photo 1 : © S. Vigneron ; photo 2 : © jacek_kadaj – Fotolia • **11** photo 3 : © Corinne Bomont – Fotolia ; photo 4 : ©nyul – Fotolia ; photo 5 : © J. Sauvage ; photo 6 : © J. Sauvage • **12** : © Christine Andant • **13** : © S. Vigneron • **14** gauche : © S. Vigneron ; droite : © Jiri Hera – Fotolia • **15** gauche : © Cherche midi ; droite : © JMLPYT – iStockphoto • **16** gauche : © RedDaxLuma – iStockphoto ; droite : © DR • **17** : © Ludivine Alligier – LA-trait. com • **18** : © oldbunyip – Fotolia • **19** : ©fahrwasser – fotolia • **20** : © FomaA – Fotolia • **21** : © Valéry Guedes – Alain Ducasse Éditions • **22** : © P. Dubreuil – La Bouitte • **23** : © DR • **24** haut : © Monkey Business- fotolia ; bas : © 4FR – iSotckphoto. com • **25** : ©Perseomed – iStockphoto • **26** haut : © Unijus-Adocom-Ph Asset ; bas droite : © Virginie Boutin – iStockphoto • **27** : © A. Chabrier • **29** haut gauche : © natashaphoto - Fotolia ; haut centre : © Studio Grand Ouest – Fotolia ; haut droite : © AnkNet – iStockphoto ; milieu : © amriphoto – iStockphoto ; bas gauche : © daniel rodriguez – iStockphoto ; bas centre : © Steve Debenport – iStockphoto ; bas centre : © theboone – iStockphoto ; bas droite : © Joan Vicent Canto Roig – iStockphoto • **30** haut gauche : © ivanmateev – Fotolia ; milieu gauche : © daffodilred – fotolia ; bas gauche : © William Berry – iStockphoto ; haut droite : © Brad Pict – Fotolia ; bas droite : © ARTindividual – iStockphoto • **31** haut : © A. Nachon ; bas : © A. Chabrier • **32** : © mitrs3 – Fotolia • **33** gauche : © M. studio – Fotolia ; droite : © Jérôme Rommé – Fotolia • **34** : © Le Grenier à pains • **35** : © Solar • **36** haut : © JC Cumin – Domaine de Rocheville ; bas : © DR • **37** : © A. Nachon • **38** : © DR • **39** : haut © Courtesy André Deymonaz ; bas gauche : © belaoche – Fotolia ; bas milieu : © ChantalS – Fotolia ; bas droite : ©michael spring – Fotolia • **40** : © A. Nachon • **41** de gauche à droite et de haut en bas : © A. Nachon © jcavale – Fotolia ; © Pictures news – Fotolia ; © Veniamin Kraskov – Fotolia ; © PackShot – Fotolia ; © Maria Sbytova – Fotolia ; © Leonid Nyshko • **42** : © Jacques Ferrandez – Rue de Sèvres éditions • **43** : © Frédéric Jaunault • **45** : © A. Nachon • **46** haut : © SIPMM melon – Interfel ; bas : © Calouste Gulbenkian Foundation, Lisbon Calouste Gulbenkian Museum, photo : Catarina Gomes Ferreira • **47** : © Jacques Ferrandez – Rue de Sèvres éditions • **48** haut : © Chocolaterie de Puyricard – Jean-Luc Abraïni ; centre : © Jérôme Rommé – Fotolia ; bas : © lefebvre_jonathan – fotolia ; bas droite : © Martin Turzak – fotolia • **49** : © FOOD-micro – Fotolia • **50** : © DR • **51** : © A. Nachon ; © DR • **52** gauche : ©DR ; droite : © Anthony Béchu • **53** haut : © Isabelle Morieux ; bas : © FOOD-micro – Fotolia • **55** haut : © S. Vigneron ; bas : © Pierre-Louis Roy • **56** : © illustrez-vous-Fotolia • **57** haut : © Marine26 – fotolia ; bas : © A. Nachon • **58** gauche : ©Mirabelle Pictures – fotolia ; photo 1 : © Franck Fouquet/AOP Sainte Maure de Touraine ; photo 2 : © Zoom Studio/AOP Saint Maure de Touraine ; photo 3 : © Franck Fouquet/AOP Sainte Maure de Touraine ; photo 4 : © Franck Fouquet/AOP Sainte Maure de Touraine ; photo 5 : © Zoom Studio/AOP Saint Maure de Touraine • **59** : © Asterix ®- Obélix ®/ © 2016 Les éditions Albert René/Goscinny-Uderzo • **60** : © FreeProd – Fotolia • **62** : © naturalbox – Fotolia • **63** gauche : © pop_photo – iStockphoto ; droite : © A. Nachon • **64** : © DR • **65** gauche : © Antonio_Diaz – iStockphoto ; haut droite : © Visuel Impact – Collection CIVC ; milieu droite : © Collection CIVC ; bas droite : © Michel Jolyot – Collection CIVC • **66** : © Eléonore H – Fotolia • **67** photo 1 : © photongrandcru – Fotolia ; photo 2 : © Agence Bio ; photo 3 : © photongrandcru – Fotolia ; photo 4 : © Richard Villalon – Fotolia ; photo 5 : © photongrandcru – Fotolia ; photo 6 : © Ablymedia – Fotolia ; photo 7 : © Jacques Palut – Fotolia ; photo 8 : © pagomenos – Fotolia • **68** : © HLPhoto – Fotolia • **69** : © Yingko – iStockphoto • **70** : © Domaine Roche Audran • **71** : © DR • **72** haut : © J. Sauvage ; bas : © Siren. com – Wikimedia CC • **73** : © chapuis-photos – Serge Chapuis – Groupe Pic • **74** : © S. Vigneron • **75** : © Clément Reisky – Chambre syndicale des fleuristes d'Île-de-France • **76** photo 1 : © Elena Korostelev – iStockphoto ; photo 2 : © JoseIgnacioSoto – IStockphoto • **77** : © Anne-Emmanuelle Thion • **78** : © Jordanlye – iStockphoto • **79** : © A. Nachon • **80** haut gauche : © DR ; haut droite : © Bernardaud/JR et Prune Nourry ; bas : © S. Vigneron • **81** : © Collection privée • **82** haut : © Musée Condé ; bas : © S. Vigneron • **83** : © S. Vigneron • **84** : © Musée Carnavalet • **85** haut : © Jérôme Mondière – Le Grand Véfour ; bas : © S. Vigneron ; droite : © FILL CC Wikimedia • **86** : © S. Vigneron • **87** haut : © chapuis-photos – Serge Chapuis – Groupe Pic ; bas : © Patrick Rougereau • **88** : © Richard Sprang • **89** droite : ©erico45 – fotolia ; gauche : © hcast – Fotolia • **90** : © CIFOG – Philippe Asset ; droite : © A. Nachon • **91** : © DR • **92** : © A. Nachon • **93** haut : © Gault&Millau ; bas : © DR • **94** haut : © kjekol-IStockphoto ; bas : © Marabout • **95** droite : © Arnaud Breysse ; centre : © DR ; bas : © S. Vigneron • **96** : © Claire Le Meil • **97** : © Catherine Yeulet – iStockphoto • **98** : © DR • **99** milieu : © volff – Fotolia ; droite : © A. Nachon • **100** : © Le Cordon Bleu • **101** : © A. Nachon • **102** : © Taisuke Yoshida • **103** : © DR • **104** : © DR • **105** haut : © quintanilla – iStockphoto ; droite : © Jérôme Rommé – Fotolia ; bas : © Marabout ; frise : © Flammarion • **106** : © studiof22byricardorocha – iStockphoto • **107** : © jmsilva – iStockphoto • **108** haut : © Adeline Monnier ; bas : © Marcelle Vallet – BM Lyon – DR • **109** : © illustrez-vous-Fotolia • **111** : pixarno – fotolia • **112** : © Le Cordon Bleu • **113** haut : © lapas77 –fotolia ; bas : © v_blinov – fotolia • **114** : © Maison Troisgros • **115** : © Plon.

REMERCIEMENTS

L'éditeur et les auteurs remercient chaleureusement tous ceux (et ils sont nombreux) qui ont, d'une manière ou d'une autre, apporté leur contribution à la réalisation de ce livre.

MERCI À CEUX QUI ONT ACCEPTÉ DE FAIRE L'OBJET D'UN PORTRAIT : Djibril Bodian ; Philippe Grégoire ; Frédéric Jaunault (MOF) ; Chihiro Masui ; René et Maxime Meilleur*** ; Anne-Sophie Pic*** ; Vincent Rochette ; César Troisgros*** ; Chantal Wittmann (MOF).

MERCI À CEUX QUI NOUS ONT FOURNI LEURS RECETTES : Paul Bocuse***, Christophe Felder, et Philippe Urraca (MOF). Merci à Éric Briffard et l'institut Le Cordon Bleu Paris. Le Cordon Bleu est le premier réseau mondial d'instituts d'arts culinaires et de management hôtelier, formant chaque année plus de 20 000 étudiants dans plus de 20 pays.

MERCI À CEUX QUI NOUS ONT ACCORDÉ L'AUTORISATION DE REPRODUIRE LEURS IMAGES : Les restaurants Le Grand Véfour*** ; Pic*** ; La Bouitte*** ; Les fables de la Fontaine* et Julia Sedefdjian • Les éditions Alain Ducasse édition ; Atal ; Cherche-Midi ; Gault & Millau ; Marabout ; La Martinière ; Solar ; Plon ; Rue de Sèvres • Les illustratrices Ludivine Alligier (LA-trait. com) ; Le Meil ; Axelle Chabrier • La fondation Calouste Gulbenkian (Lisbonne) • L'Agence Bio • L'AOC Sainte-Maure de Touraine • Le groupe Bernardaud • La Chambre syndicale des fleuristes d'Île-de-France • Le comité Champagne • Le Comité interprofessionnel des palmipèdes à foie gras Le Domaine de Rocheville (Nyons) • Le comité Francéclat • Interfel-SIPMM Unijus • La chocolaterie Puyricard • Jacqueline Mercorelli • Djibril et Saly Bodian (Le Grenier à pains) • Dominique Andant André Deymonaz • Pierre-Louis Roy.

MERCI À CEUX QUI ONT ACCEPTÉ DE PRÊTER LEUR VOIX OU LEUR IMAGE OU QUI NOUS ONT AIDÉS : Anaïs, Antoine, Antonio, Alexandre, Babette, Bruno, Camille, Catherine, Christian (pour sa relecture), Claude, Corinne, Cristèle, Émilie, Fabienne, Gwenaël, Houria, Jérôme, Laurent, Léandre, Léna, Liliane (pour sa relecture), Lucie, Madeleine, Mahaut, Marian, Marie, Marie-Hélène, Mélanie, Nicole, Philippe, Prune, Rémi, Sabine, Samira, Sandrine, Ségolène, Stéphanie, Sylvie, Tristan, Valérie, Yan, Yann et Yves-Marie (pour sa disponibilité).

MERCI À CEUX QUI ONT ACCEPTÉ DE RÉPONDRE À NOS QUESTIONS : Philippe Faure-Brac (meilleur sommelier du monde) • Jean-Robert Pitte (président de la Mission française du patrimoine et des cultures alimentaires) • Alain Berne (MOF) • Bruno Roussel (cuisinier et sommelier).

REMERCIEMENTS PARTICULIERS À NOS PARTENAIRES : À Myriam Chalret du Rieu, Mathieu La Fay, et au Club de la table française • À Sylvia Alex, Zahid Cassam-Chenai, Jérôme Clément, Isabelle Morieux, Frédéric Vernhes et à la Fondation Alliance Française • À Jean-Robert Pitte, Pierre Sanner, et à la Mission française du Patrimoine et des Cultures alimentaires.

MERCI, ENFIN, à Isabelle Gruca, directrice de la collection Français langue étrangère, pour sa relecture attentive et ses conseils précieux ; à Catherine Metton, pour sa relecture finale ; à Corinne Tourrasse, pour sa maquette, son efficacité et sa patience !

IMPRIM'VERT
Votre imprimeur agit pour l'environnement